Luigi Pirandello

Sei personaggi in cerca di autore

© 2023 Culturea Editions

Texte et illustration de couverture : © domaine public
Edition : Culturea (Hérault, 34)
Contact : infos@culturea.fr
Retrouvez notre catalogue sur http://culturea.fr
Imprimé en Allemagne par Books on Demand
Design typographique : Derek Murphy
Layout : Reedsy (https://reedsy.com/)

Dépôt légal : janvier 2023
Tous droits réservés pour tous pays

ISBN : 9791041968350

I PERSONAGGI DELLA COMMEDIA DA FARE

Il padre

La madre

La figliastra

Il figlio

Il giovinetto

La bambina (questi ultimi due non parlano)

(Poi, evocata) Madama Pace

GLI ATTORI DELLA COMPAGNIA

Il direttore-capocomico

La prima attrice

Il primo attore

La seconda donna

L'attrice giovane

L'attor giovane

Altri attori e attrici

Il direttore di scena

Il suggeritore

Il trovarobe

Il macchinista

Il segretario del capocomico

L'uscere del teatro

Apparatori e servi di scena

Di giorno, su un palcoscenico di teatro di prosa.

N.B. La commedia non ha atti né scene. La rappresentazione sarà interrotta una prima volta, senza che il sipario s'abbassi; allorché il Direttore Capocomico e il capo dei personaggi si ritireranno per concertar lo scenario e gli attori sgombreranno il palcoscenico; una seconda volta, allorché per isbaglio il Macchinista butterà giù il sipario.

Troveranno gli spettatori, entrando nella sala del teatro, alzato il sipario, e il palcoscenico com'è di giorno, senza quinte né scena, quasi al bujo e vuoto, perché abbiano fin da principio l'impressione d'uno spettacolo non preparato.

Due scalette, una a destra e l'altra a sinistra, metteranno in comunicazione il palcoscenico con la sala. Sul palcoscenico il cupolino del suggeritore, messo da parte, a canto alla buca. Dall'altra parte, sul davanti, un tavolino e una poltrona con spalliera voltata verso il pubblico, per il Direttore-Capocomico. Altri due tavolini, uno più grande, uno più piccolo, con parecchie sedie attorno, messi lì sul davanti per averli pronti, a un bisogno, per la prova. Altre sedie, qua e lì: a destra e a sinistra, per gli Attori; e un pianoforte in fondo, da un lato, quasi nascosto. Spenti i lumi nella sala, si vedrà entrare dalla porta del palcoscenico il macchinista in camiciotto turchino e sacca appesa alla cintola; prendere da un angolo in fondo alcuni assi d'attrezzatura; disporli sul davanti e mettersi in ginocchio e inchiodarli. Alle martellate accorrerà dalla porta dei camerini il Direttore di scena.

Il direttore di scena

 Oh! Che fai?

Il macchinista

 Che faccio? Inchiodo.

Il direttore di scena

 A quest'ora?

Guarderà l'orologio.

 Sono già le dieci e mezzo. A momenti sarà qui il Direttore per la prova.

Il macchinista

 Ma dico, dovrò avere anch'io il mio tempo per lavorare!

Il direttore di scena

L'avrai, ma non ora.

Il macchinista

E quando?

Il direttore di scena

Quando non sarà più l'ora della prova. Su, su, portati via tutto, e lasciami disporre la scena per il secondo atto del "Giuoco delle parti"

Il macchinista, sbuffando, borbottando, raccatterà gli assi e andrà via. Intanto dalla porta del palcoscenico cominceranno a venire gli attori della Compagnia, uomini e donne, prima uno, poi un altro, poi due insieme, a piacere: nove o dieci, quanti si suppone che debbano prender parte alle prove della commedia di Pirandello "Il giuoco delle parti", segnata all'ordine del giorno. Entreranno, saluteranno il Direttore di scena e si saluteranno tra loro augurandosi il buon giorno. Alcuni si avvieranno ai loro camerini; altri, fra cui il Suggeritore che avrà il copione arrotolato sotto il braccio, si fermeranno sul palcoscenico in attesa del Direttore per cominciar la prova, e intanto, o seduti a crocchio, o in piedi, scambieranno tra loro qualche parola; e chi accenderà una sigaretta, chi si lamenterà della parte che gli è stata assegnata, chi leggerà forte ai compagni qualche notizia in un giornaletto teatrale. Sarà bene che tanto le Attrici quanto gli Attori siano vestiti d'abiti piuttosto chiari e gai, e che questa prima scena a soggetto abbia, nella sua naturalezza, molta vivacità. A un certo punto, uno dei comici potrà sedere al pianoforte e attaccare un ballabile; i più giovani tra gli Attori e le Attrici si metteranno a ballare.

Il direttore di scena (battendo le mani per richiamarli alla disciplina).

Via, smettetela! Ecco il signor Direttore!

Il suono e la danza cesseranno d'un tratto. Gli Attori si volteranno a guardare verso la sala del teatro, dalla cui porta si vedrà entrare il Direttore-Capocomico, il quale, col cappello duro in capo, il bastone sotto il braccio e un grosso sigaro in bocca, attraverserà il corridojo tra le poltrone e, salutato dai comici, salirà per una delle due scalette sul palcoscenico. Il Segretario gli porgerà la posta: qualche giornale, un copione sottofascia.

5

Il capocomico

Lettere?

Il segretario

Nessuna. La posta è tutta qui.

Il capocomico (porgendogli il copione sottofascia).

Porti in camerino.

Poi, guardandosi attorno e rivolgendosi al Direttore di scena:

Oh, qua non ci si vede. Per piacere, faccia dare un po' di luce.

Il direttore di scena

Subito.

Si recherà a dar l'ordine. E poco dopo il palcoscenico sarà illuminato in tutto il lato destro, dove staranno gli Attori, d'una viva luce bianca. Nel mentre, il Suggeritore avrà preso posto nella buca, accesa la lampadina e steso davanti a sè il copione.

Il capocomico (battendo le mani).

Su, su, cominciamo.

Al Direttore di scena:

Manca qualcuno?

Il direttore di scena

Manca la Prima Attrice.

Il capocomico

Al solito!

Guarderà l'orologio.

Siamo già in ritardo di dieci minuti. La segni, mi faccia il piacere. Così imparerà a venire puntuale alla prova.

Non avrà finito la repressione, che dal fondo della sala si udrà la voce della Prima Attrice.

La prima attrice

No, no, per carità! Eccomi! Eccomi!

È tutta vestita di bianco, con un cappellone spavaldo in capo e un grazioso cagnolino tra le braccia; correrà attraverso il corridoio delle poltrone e salirà in gran fretta una delle scalette.

Il capocomico

Lei ha giurato di farsi sempre aspettare.

La prima attrice

Mi scusi. Ho cercato tanto una automobile per fare a tempo! Ma vedo che non avete ancora cominciato. E io non sono subito di scena.

Poi, chiamando per nome il Direttore di scena e consegnandogli il cagnolino:

Per piacere, me lo chiuda nel camerino.

Il capocomico (borbottando)

Anche il cagnolino! Come se fossimo pochi i cani qua.

Batterà di nuovo le mani e si rivolgerà al Suggeritore:

Su, su, il secondo atto del "Giuoco delle parti".

Sedendo sulla poltrona:

Attenzione, signori. Chi è di scena?

Gli Attori e le Attrici sgombreranno il davanti del palcoscenico e andranno a sedere da un lato, tranne i tre che principieranno la prova e la Prima Attrice, che, senza badare alla domanda del Capocomico, si sarà messa a sedere davanti ad uno dei due tavolini.

Il capocomico (alla Prima Attrice)

Lei dunque è di scena?

La prima attrice.

Io, nossignore.

Il capocomico (seccato)

E allora si levi, santo Dio!

La Prima Attrice si alzerà e andrà a sedere accanto agli altri Attori che si saranno già tratti in disparte.

Il capocomico (al Suggeritore)

Cominci, Cominci.

Il suggeritore (leggendo nel copione)

"In casa di Leone Gala. Una strana sala da pranzo e da studio."

Il capocomico (volgendosi al Direttore di scena)

Metteremo la sala rossa.

Il direttore di scena (segnando su un foglio di carta)

La rossa. Sta bene.

Il suggeritore (seguitando a leggere nel copione)

"Tavola apparecchiata e scrivania con libri e carte. Scaffali di libri e vetrine con ricche suppellettili da tavola. Uscio in fondo per cui si va nella camera da letto di Leone. Uscio laterale a sinistra per cui si va nella cucina. La comune è a destra."

Il capocomico (alzandosi e indicando)

> Dunque, stiano bene attenti: di là, la comune. Di qua, la cucina.

> > Rivolgendosi all'Attore che farà la parte di Socrate:

> Lei entrerà e uscirà da questa parte.

> > Al Direttore di scena:

> Applicherà la bussola in fondo, e metterà le tendine.

> > Tornerà a sedere.

Il direttore di scena (segnando)

> Sta bene.

Il suggeritore (leggendo c.s.)

> "Scena Prima. Leone Gala, Guido Venanzi, Filippo detto Socrate."

> > Al Capocomico:

> Debbo leggere anche la didascalia?

Il capocomico

> Ma sì! si! Gliel'ho detto cento volte!

Il suggeritore (leggendo c.s.)

> Al levarsi della tela, Leone Gala, con berretto da cuoco e grembiule, e intento a sbattere con un mestolino di legno un uovo in una ciotola. Filippo ne sbatte un altro, parato anche lui da cuoco. Guido Venanzi ascolta, seduto."

Il primo attore (al Capocomico)

> Ma scusi, mi devo mettere proprio il berretto da cuoco in capo?

Il capocomico (urtato dall'osservazione)

Mi pare! Se sta scritto lì!

Indicherà il copione.

Il primo attore

Ma è ridicolo, scusi!

Il capocomico (balzando in piedi sulle furie)

"Ridicolo! ridicolo!" Che vuole che le faccia io se dalla Francia non ci viene più una buona commedia, e ci siamo ridotti a mettere in iscena commedie di Pirandello, che chi l'intende è bravo, fatte apposta di maniera che né attori né critici né pubblico ne restino mai contenti?

Gli Attori rideranno. E allora egli alzandosi e venendo presso il Primo Attore, griderà:

Il berretto da cuoco, sissignore! E sbatta le uova! Lei crede, con codeste uova che sbatte, di non aver poi altro per le mani? Sta fresco! Ha da rappresentare il guscio delle uova che sbatte!

Gli Attori torneranno a ridere e si metteranno a far commenti tra loro ironicamente.

Silenzio! E prestino ascolto quando spiego!

Rivolgendosi di nuovo al Primo Attore:

Sissignore, il guscio: vale a dire la vuota forma della ragione, senza il pieno dell'istinto che è cieco! Lei è la ragione, e sua moglie l'istinto: in un giuoco di parti assegnate, per cui lei che rappresenta la sua parte è volutamente il fantoccio di se stesso. Ha capito?

Il primo attore (aprendo le braccia)

Io no!

Il capocomico (tornandosene al suo posto)

E io nemmeno! Andiamo avanti, che poi mi loderete la fine!

In tono confidenziale:

Mi raccomando, si metta di tre quarti, perché se no, tra le astruserie del dialogo e lei che non si farà sentire dal pubblico, addio ogni cosa!

Battendo di nuovo le mani:

Attenzione, attenzione! Attacchiamo!

Il suggeritore

Scusi, signor Direttore, permette che mi ripari col cupolino? Tira una cert'aria!

Il capocomico

Ma sì, faccia, faccia!

L'Uscere del teatro sarà intanto entrato nella sala, col berretto gallonato in capo e, attraversato il corridojo fra le poltrone, si sarà appressato al palcoscenico per annunziare al Direttore-Capocomico l'arrivo dei Sei Personaggi, che, entrati anch'essi nella sala, si saranno messi a seguirlo, a una certa distanza, un po' smarriti e perplessi, guardandosi attorno.

Chi voglia tentare una traduzione scenica di questa commedia bisogna che s'adoperi con ogni mezzo a ottenere tutto l'effetto che questi "Sei Personaggi" non si confondano con gli Attori della Compagnia. La disposizione degli uni e degli altri, indicata nelle didascalie, allorché quelli saliranno sul palcoscenico, gioverà senza dubbio; come una diversa colorazione luminosa per mezzo di appositi riflettori. Ma il mezzo più efficace e idoneo, che qui si suggerisce, sarà l'uso di speciali maschere per i personaggi: maschere espressamente costruite d'una materia che per il sudore non s'afflosci e non pertanto sia lieve agli Attori che dovranno portarle: lavorate e tagliate in modo che lascino liberi gli occhi, le narici e la bocca. S'interpreterà così anche il senso profondo della commedia. I "Personaggi" non dovranno infatti apparire come "fantasmi", ma come "realtà create", costruzioni della fantasia immutabili: e dunque più reali e consistenti della volubile naturalità degli Attori. Le maschere ajuteranno a dare l'impressione della figura costruita per arte e fissata ciascuna immutabilmente nell'espressione del proprio sentimento fondamentale, che è il "rimorso" per il Padre, la "vendetta" per la Figliastra, lo "sdegno" per il Figlio, il "dolore" per la Madre con fisse lagrime di cera nel livido delle occhiaje e lungo le gote, come si vedono nelle immagini scolpite e dipinte della "Mater dolorosa" nelle chiese. E sia anche il vestiario di stoffa e foggia speciale, senza stravaganze, con pieghe rigide e volume quasi statuario, e insomma di maniera che non dia l'idea che sia fatto d'una stoffa che si possa comperare in una qualsiasi bottega della città e tagliato e cucito in una qualsiasi sartoria.

Il Padre sarà sulla cinquantina: stempiato, ma non calvo, fulvo di pelo, con baffetti folti quasi acchiocciolati attorno alla bocca ancor fresca, aperta spesso a un sorriso incerto e vano. Pallido, segnatamente nell'ampia fronte; occhi azzurri ovati, lucidissimi e arguti; vestirà calzoni chiari e giacca scura: a volte sarà mellifluo, a volte avrà scatti aspri e duri.

La Madre sarà come atterrita e schiacciata da un peso intollerabile di vergogna e d'avvilimento. Velata da un fitto crespo vedovile, vestirà umilmente di nero, e quando solleverà il velo, mostrerà un viso non patito, ma come di cera, e terrà sempre gli occhi bassi.

La Figliastra, di diciotto anni, sarà spavalda, quasi impudente. Bellissima, vestirà a lutto anche lei, ma con vistosa eleganza. Mostrerà dispetto per l'aria timida, afflitta e quasi smarrita del fratellino, squallido Giovinetto di quattordici anni, vestito anch'egli di nero; e una vivace tenerezza, invece, per la sorellina, Bambina di circa quattro anni, vestita di bianco con una fascia di seta nera alla vita.

Il Figlio, di ventidue anni, alto, quasi irrigidito in un contenuto sdegno per il Padre e in un'accigliata indifferenza per la Madre, porterà un soprabito viola e una lunga fascia verde girata attorno al collo.

L'uscere (col berretto in mano)

 Scusi, signor Commendatore.

Il capocomico (di scatto, sgarbato)

 Che altro c'è?

L'uscere (timidamente)

 Ci sono qua certi signori, che chiedono di lei.

 Il Capocomico e gli Attori si volteranno stupiti a guardare dal palcoscenico giù nella sala.

Il capocomico (di nuovo sulle furie)

 Ma io qua provo! E sapete bene che durante la prova non deve passar nessuno!

     Rivolgendosi in fondo:

 Chi sono lor signori? Che cosa vogliono?

Il padre (facendosi avanti, seguito dagli altri, fino a una delle due scalette)

 Siamo qua in cerca d'un autore

Il capocomico (fra stordito e irato)

 D'un autore? Che autore?

Il padre

D'uno qualunque, signore.

Il capocomico

Ma qui non c'è nessun autore, perché non abbiamo in prova nessuna commedia nuova.

La Figliastra (con gaja vivacità, salendo di furia la scaletta).

Tanto meglio, tanto meglio, allora, signore! Potremmo esser noi la loro commedia nuova.

Qualcuno degli attori (fra i vivaci commenti e le risate degli altri)

Oh, senti, senti!

Il padre (seguendo sul palcoscenico la Figliastra).

Già, ma se non c'è l'autore!

Al Capocomico:

Tranne che non voglia esser lei...

La Madre, con la Bambina per mano, e il Giovinetto saliranno i primi scalini della scaletta e resteranno lì in attesa. Il Figlio resterà sotto, scontroso.

Il capocomico

Lor signori vogliono scherzare?

Il padre

No, che dice mai, signore! Le portiamo al contrario un dramma doloroso.

La figliastra

E potremmo essere la sua fortuna!

Il capocomico

Ma mi facciano il piacere d'andar via, che non abbiamo tempo da perdere coi pazzi!

Il padre (ferito e mellifluo)

Oh, signore, lei sa bene che la vita è piena d'infinite assurdità, le quali sfacciatamente non han neppure bisogno di parer verosimili; perché sono vere.

Il capocomico

Ma che diavolo dice?

Il padre

Dico che può stimarsi realmente una pazzia, sissignore, sforzarsi di fare il contrario; cioè, di crearne di verosimili, perché pajano vere. Ma mi permetta di farle osservare che, se pazzia è, questa è pur l'unica ragione del loro mestiere.

Gli Attori si agiteranno, sdegnati.

Il capocomico (alzandosi e squadrandolo)

Ah sì? Le sembra un mestiere da pazzi, il nostro?

Il padre

Eh, far parer vero quello che non è; senza bisogno, signore: per giuoco... Non è loro ufficio dar vita sulla scena a personaggi fantasticati?

Il capocomico (subito facendosi voce dello sdegno crescente dei suoi Attori)

Ma io la prego di credere che la professione del comico, caro signore, è una nobilissima professione! Se oggi come oggi i signori commediografi nuovi ci danno da rappresentare stolide commedie e fantocci invece di uomini, sappia che è nostro vanto aver dato vita - qua, su queste tavole - a opere immortali!

Gli Attori, soddisfatti, approveranno e applaudiranno il loro Capocomico.

Il padre (interrompendo e incalzando con foga).

Ecco! benissimo! a esseri vivi, più vivi di quelli che respirano e vestono panni! Meno reali, forse; ma più veri! Siamo dello stessissimo parere!

Gli Attori si guardano tra loro, sbalorditi.

Il direttore

Ma come! Se prima diceva...

Il padre

No, scusi, per lei dicevo, signore, che ci ha gridato di non aver tempo da perdere coi pazzi, mentre nessuno meglio di lei può sapere che la natura si serve da strumento della fantasia umana per proseguire, più alta, la sua opera di creazione.

Il capocomico

Sta bene, sta bene. Ma che cosa vuol concludere con questo?

Il padre

Niente, signore. Dimostrarle che si nasce alla vita in tanti modi, in tante forme: albero o sasso, acqua o farfalla... o donna. E che si nasce anche personaggi!

Il capocomico (con finto ironico stupore)

E lei, con codesti signori attorno, è nato personaggio?

Il padre

Appunto, signore. E vivi, come ci vede.

Il Capocomico e gli Attori scoppieranno a ridere, come per una burla.

Il Padre (ferito)

Mi dispiace che ridano così, perché portiamo in noi, ripeto, un dramma doloroso, come lor signori possono argomentare da questa donna velata di nero.

Così dicendo porgerà la mano alla Madre per aiutarla a salire gli ultimi scalini e, seguitando a tenerla per mano, la condurrà con una certa tragica solennità dall'altra parte del palcoscenico, che s'illuminerà subito di una fantastica luce. La Bambina e il Giovinetto seguiranno la Madre; poi il Figlio, che si terrà discosto, in fondo; poi la Figliastra, che s'apparterà anche lei sul davanti, appoggiata all'arcoscenico. Gli Attori, prima stupefatti, poi ammirati di questa evoluzione, scoppieranno in applausi come per uno spettacolo che sia stato loro offerto.

Il capocomico (prima sbalordito, poi sdegnato)

Ma via! Facciano silenzio!

Poi, rivolgendosi ai Personaggi:

E loro si levino! Sgombrino di qua!

Al Direttore di scena:

Perdio, faccia sgombrare!

Il direttore di scena (facendosi avanti, ma poi fermandosi, come trattenuto da uno strano sgomento)

Via! Via!

Il padre (al Capocomico)

Ma no, veda, noi...

Il capocomico (gridando)

Insomma, noi qua dobbiamo lavorare!

Il primo attore

Non è lecito farsi beffe così...

Il padre (risoluto, facendosi avanti)

Io mi faccio maraviglia della loro incredulità! Non sono forse abituati lor signori a vedere balzar vivi quassù, uno di fronte all'altro, i personaggi creati da un autore? Forse perché non c'è là

indicherà la buca del Suggeritore

un copione che ci contenga?

La Figliastra (facendosi avanti al Capocomico, sorridente, lusingatrice)

Creda che siamo veramente sei personaggi, signore, interessantissimi! Quantunque, sperduti.

Il Padre (scartandola)

Sì, sperduti, va bene!

Al Capocomico subito:

Nel senso, veda, che l'autore che ci creò, vivi, non volle poi, o non potè materialmente, metterci al mondo dell'arte. E fu un vero delitto, signore, perché chi ha la ventura di nascere personaggio vivo, può ridersi anche della morte. Non muore più! Morrà l'uomo, lo scrittore, strumento della creazione; la creatura non muore più! E per vivere eterna non ha neanche bisogno di straordinarie doti o di compiere prodigi. Chi era Sancho Panza? Chi era don Abbondio? Eppure vivono eterni, perché - vivi germi - ebbero la ventura di trovare una matrice feconda, una fantasia che li seppe allevare e nutrire, far vivere per l'eternità!

Il capocomico

Tutto questo va benissimo! Ma che cosa vogliono loro qua?

Il padre

Vogliamo vivere, signore!

Il capocomico (ironico)

Per l'eternità?

Il padre

No, signore: almeno per un momento, in loro.

Un attore

Oh, guarda, guarda!

La prima attrice

Vogliono vivere in noi!

L'attor giovane (indicando la Figliastra)

Eh, per me volentieri, se mi toccasse quella lì!

Il padre

Guardino, guardino: la commedia è da fare;

al Capocomico:

ma se lei vuole e i suoi attori vogliono, la concerteremo subito tra noi!

Il capocomico (seccato)

Ma che vuol concertare! Qua non si fanno di questi concerti! Qua si recitano drammi e commedie!

Il padre

E va bene! Siamo venuti appunto per questo qua da lei!

Il capocomico

E dov'è il copione?

Il padre

È in noi, signore.

Gli attori rideranno.

Il dramma è in noi; siamo noi; e siamo impazienti di rappresentarlo, così come dentro ci urge la passione!

La figliastra (schernevole, con perfida grazia di caricata impudenza)

La passione mia, se lei sapesse, signore! La passione mia...per lui!

Indicherà il Padre e farà quasi per abbracciarlo; ma scoppierà poi in una stridula risata.

Il padre (con scatto iroso)

Tu statti a posto, per ora! E ti prego di non ridere così!

La figliastra

No? E allora mi permettano: benché orfana da appena due mesi, stiano a vedere lor signori come canto e come danzo!

Accennerà con malizia il "Prends garde ... Tchou-Thin-Tchou" di Dave Stamper ridotto a Fox-trot o One-Step lento da Francis Salabert: la prima strofa, accompagnandola con passo di danza.

Les chinois sont un peuple malin,

De Shangai... Pekin,

Ils ont mis des criteaux partout:

Prenez garde... Tchou -Thin -Tchou!

Gli Attori, segnatamente i giovani, mentre ella canterà e ballerà, come attratti da un fascino strano, si moveranno verso lei e leveranno appena le mani quasi a ghermirla. Ella sfuggirà e, quando gli Attori scoppieranno in applausi, resterà, alla riprensione del Capocomico, come astratta e lontana.

Gli attori e le attrici (ridendo e applaudendo)

Bene! Brava! Benissimo!

Il capocomico (irato)

Silenzio! Si credono forse in un caffè-concerto?

Tirandosi un po' in disparte il Padre, con una certa costernazione:

Ma dica un po', è pazza?

Il padre

No, che pazza! È peggio!

La figliastra (subito accorrendo al Capocomico)

Peggio! Peggio! Eh altro, signore! Peggio! Senta, per favore: ce lo faccia rappresentar subito, questo dramma, perché vedrà che a un certo punto, io - quando questo amorino qua

prenderà per mano la Bambina che se ne starà presso la Madre e la porterà davanti al Capocomico

vede com'è bellina?

la prenderà in braccio e la bacerà

cara! cara!

La rimetterà a terra e aggiungerà, quasi senza volere, commossa:

ebbene, quando quest'amorino qua, Dio la toglierà d'improvviso a quella povera madre: e quest'imbecillino qua

spingerà avanti il Giovinetto, afferrandolo per una manina sgarbatamente

farà la più grossa delle corbellerie, proprio da quello stupido che è

lo ricaccerà con una spinta verso la Madre

allora vedrà che io prenderò il volo! Sissignore! prenderò il volo! il volo! E non mi par l'ora, creda, non mi par l'ora! Perché, dopo quello che è avvenuto di molto intimo tra me e lui

indicherà il Padre con un orribile ammiccamento

non posso più vedermi in questa compagnia, ad assistere allo strazio di quella madre per quel tomo là

indicherà il Figlio

lo guardi! lo guardi! indifferente, gelido lui, perché è il figlio legittimo, lui! pieno di sprezzo per me, per quello là,

indicherà il Giovinetto

per quella creaturina; ché siamo bastardi - ha capito? bastardi.

Si avvicinerà alla Madre e l'abbraccerà.

E questa povera madre - lui - che è la madre comune di noi tutti - non la vuol riconoscere per madre anche sua - e la considera dall'alto in basso, lui, come madre soltanto di noi tre bastardi - vile!

Dirà tutto questo, rapidamente, con estrema eccitazione e arrivata al "vile" finale, dopo aver gonfiato la voce sul "bastardi", lo pronunzierà piano, quasi sputandolo.

La madre (con infinita angoscia al Capocomico)

Signore, in nome di queste due creaturine, la supplico...

si sentirà mancare e vacillerà

oh Dio mio...

Il padre (accorrendo a sorreggerla con quasi tutti gli Attori sbalorditi e costernati).

Per carità una sedia, una sedia a questa povera vedova!

Gli attori (accorrendo)

- Ma è dunque vero? - Sviene davvero?

Il capocomico

Qua una sedia, subito!

Uno degli Attori offrirà una sedia; gli altri si faranno attorno premurosi. La Madre, seduta, cercherà d'impedire che il Padre le sollevi il velo che le nasconde la faccia.

Il padre

La guardi, signore, la guardi...

La madre

Ma no, Dio, smettila!

Il padre

Lasciati vedere!

Le solleverà il velo.

La madre (alzandosi e recandosi le mani al volto, disperatamente).

Oh, signore, la supplico d'impedire a quest'uomo di ridurre a effetto il suo proposito, che per me è orribile!

Il capocomico (soprappreso, stordito)

Ma io non capisco più dove siamo, né di che si tratti!

Al Padre:

Questa è la sua signora?

Il padre (subito)

Sissignore, mia moglie!

Il capocomico

E com'è dunque vedova, se lei è vivo?

Gli Attori scaricheranno tutto il loro sbalordimento in una fragorosa risata.

Il padre (ferito, con aspro risentimento)

Non ridano! Non ridano così, per carità! È appunto questo il suo dramma, signore. Ella ebbe un altro uomo. Un altro uomo che dovrebbe esser qui!

La madre (con un grido)

No! No!

La figliastra

Per sua fortuna è morto: da due mesi, glie l'ho detto. Ne portiamo ancora il lutto, come vede.

Il padre

Ma non è qui, veda, non già perché sia morto. Non è qui perché - la guardi, signore, per favore, e lo comprenderà subito! - Il suo dramma non potè consistere nell'amore di due uomini, per cui ella, incapace, non poteva sentir nulla - altro, forse, che un po' di riconoscenza (non per me: per quello!) - Non è una donna, è una madre! - E il suo dramma - (potente, signore, potente!) consiste tutto, difatti, in questi quattro figli dei due uomini ch'ella ebbe.

La madre

Io, li ebbi? Hai il coraggio di dire che fui io ad averli, come se li avessi voluti? Fu lui, signore! Me lo diede lui, quell'altro, per forza! Mi costrinse, mi costrinse ad andar via con quello!

La figliastra (di scatto, indignata)

Non è vero!

La madre (sbalordita)

Come non è vero?

La figliastra

Non è vero! Non è vero!

La madre

E che puoi saperne tu?

La figliastra

Non è vero!

Al Capocomico:

Non ci creda! Sa perché lo dice? Per quello lì

indicherà il Figlio

lo dice! Perché si macera, si strugge per la noncuranza di quel figlio lì, a cui vuol dare a intendere che, se lo abbandonò di due anni, fu perché lui

indicherà il Padre

la costrinse.

La madre (con forza)

Mi costrinse, mi costrinse, e ne chiamo Dio in testimonio!

Al Capocomico:

Lo domandi a lui

indicherà il marito

se non è vero! Lo faccia dire a lui!...Lei

indicherà la Figlia

non può saperne nulla.

La figliastra

So che con mio padre, finché visse, tu fosti sempre in pace e contenta.

Negalo, se puoi!

La madre

Non lo nego, no...

La figliastra

Sempre pieno d'amore e di cure per te!

Al Giovinetto, con rabbia:

Non è vero? Dillo! Perché non parli, sciocco?

La madre

Ma lascia questo povero ragazzo! Perché vuoi farmi credere un'ingrata, figlia? Io non voglio mica offendere tuo padre! Ho risposto a lui, che non per mia colpa né per mio piacere abbandonai la sua casa e mio figlio!

Il padre

È vero, signore. Fui io.

Pausa.

Il primo attore (ai suoi compagni)

Ma guarda che spettacolo!

La prima attrice

Ce lo danno loro, a noi!

L'attor giovane

Una volta tanto!

Il capocomico (che comincerà a interessarsi vivamente)

Stiamo a sentire! stiamo a sentire!

E così dicendo, scenderà per una delle scalette nella sala e resterà in piedi davanti al palcoscenico, come a cogliere, da spettatore, l'impressione della scena.

Il figlio (senza muoversi dal suo posto, freddo, piano, ironico)

Sì, stiano a sentire che squarcio di filosofia, adesso! Parlerà loro del Demone dell'Esperimento.

Il padre

Tu sei un cinico imbecille, e te l'ho detto cento volte!

Al Capocomico già nella sala:

Mi deride, signore, per questa frase che ho trovato in mia scusa.

Il figlio (sprezzante)

Frasi.

Il Padre

Frasi! Frasi! Come se non fosse il conforto di tutti, davanti a un fatto che non si spiega, davanti a un male che si consuma, trovare una parola che non dice nulla, e in cui ci si acquieta!

La figliastra

Anche il rimorso, già! sopra tutto.

Il padre

Il rimorso? Non è vero; non l'ho acquietato in me soltanto con le parole.

26

La figliastra

Anche con un po' di danaro, sì, sì, anche con un po' di danaro! Con le cento lire che stava per offrirmi in pagamento, signori!

Movimento d'orrore degli Attori.

Il figlio (con disprezzo alla sorellastra)

Questo è vile!

La figliastra

Vile? Erano là, in una busta cilestrina sul tavolino di mogano, là nel retrobottega di Madama Pace. Sa, signore? una di quelle Madame che con la scusa di vendere "Robes et Manteaux" attirano nei loro "ateliers" noi ragazze povere, di buona famiglia.

Il figlio

E s'è comperato il diritto di tiranneggiarci tutti, con quelle cento lire che lui stava per pagare, e che per fortuna non ebbe poi motivo - badi bene - di pagare.

La figliastra

Eh, ma siamo stati proprio lì lì, sai!

Scoppia a ridere.

La madre (insorgendo)

Vergogna, figlia! Vergogna!

La figliastra (di scatto)

Vergogna? È la mia vendetta! Sto fremendo, signore, fremendo di viverla, quella scena! La camera... qua la vetrina dei mantelli; là, il divano-letto; la specchiera; un paravento; e davanti la finestra, quel tavolino di mogano con la busta cilestrina delle cento lire. La vedo! Potrei prenderla! Ma lor signori si dovrebbero voltare: son quasi nuda! Non arrossisco più, perché arrossisce lui adesso!

Indicherà il Padre.

Ma vi assicuro ch'era molto pallido, molto pallido in quel momento!

Al Capocomico:

Creda a me, signore!

Il capocomico

Io non mi raccapezzo più!

Il Padre

Sfido! Assaltato così! Imponga un po' d'ordine, signore, e lasci che parli io, senza prestare ascolto all'obbrobrio, che con tanta ferocia costei le vuol dare a intendere di me, senza le debite spiegazioni.

La figliastra

Qui non si narra! qui non si narra!

Il padre

Ma io non narro! voglio spiegargli.

La figliastra

Ah, bello, sì! A modo tuo!

Il Capocomico, a questo punto, risalirà sul palcoscenico per rimettere l'ordine.

Il padre

Ma se è tutto qui il male! Nelle parole! Abbiamo tutti dentro un mondo di cose; ciascuno un suo mondo di cose! E come possiamo intenderci, signore, se nelle parole ch'io dico metto il senso e il valore delle cose come sono dentro di me; mentre chi le ascolta, inevitabilmente le assume col senso e col valore che hanno per sè, del mondo com'egli l'ha dentro? Crediamo d'intenderci; non c'intendiamo mai! Guardi la mia pietà, tutta la mia pietà per questa donna indicherà la Madre

è stata assunta da lei come la più feroce delle crudeltà.

La madre

Ma se m'hai scacciata!

Il padre

Ecco, la sente? Scacciata! Le è parso ch'io l'abbia scacciata!

La madre

Tu sai parlare; io non so...Ma creda, signore, che dopo avermi sposata... chi sa perché! (ero una povera, umile donna...)

Il padre

Ma appunto per questo, per la tua umiltà ti sposai, che amai in te, credendo...

S'interromperà alle negazioni di lei; aprirà le braccia, in atto disperato, vedendo l'impossibilità di farsi intendere da lei, e si rivolgerà al Capocomico:

No, vede? Dice di no! Spaventevole, signore, creda, spaventevole, la sua

si picchierà sulla fronte

sordità, sordità mentale! Cuore, sì, per i figli! Ma sorda, sorda di cervello, sorda, signore, fino alla disperazione!

La figliastra

Sì, ma si faccia dire, ora, che fortuna è stata per noi la sua intelligenza.

Il padre

Se si potesse prevedere tutto il male che può nascere dal bene che crediamo di fare!

A questo punto la Prima Attrice, che si sarà macerata vedendo il Primo Attore civettare con la Figliastra, si farà avanti e domanderà al Capocomico:

La prima attrice

Scusi, signor Direttore, seguiterà la prova?

Il capocomico

Ma sì! ma sì! Mi lasci sentire adesso!

L'attor Giovane

È un caso così nuovo!

L'attrice giovane

Interessantissimo!

La prima attrice

Per chi se n'interessa!

E lancerà un'occhiata al Primo Attore.

Il capocomico (al Padre)

Ma bisogna che lei si spieghi chiaramente.

Si metterà a sedere.

Il padre

Ecco, sì. Veda, signore, c'era con me un pover'uomo, mio subalterno, mio segretario, pieno di devozione, che se la intendeva in tutto e per tutto con

indicherà la Madre

senz'ombra di male - badiamo! - buono, umile come lei, incapaci l'uno e l'altra, non che di farlo, ma neppure di pensarlo, il male!

La figliastra

Lo pensò lui, invece, per loro - e lo fece!

Il padre

Non è vero! Io intesi di fare il loro bene - e anche il mio, sì, lo confesso! Signore, ero arrivato al punto che non potevo dire una parola all'uno o all'altra, che subito non si scambiassero tra loro uno sguardo d'intelligenza; che l'una non cercasse subito gli occhi dell'altro per consigliarsi, come si dovesse prendere quella mia parola, per non farmi arrabbiare. Bastava questo, lei lo capisce, per tenermi in una rabbia continua, in uno stato di esasperazione intollerabile!

Il capocomico

E perché non lo cacciava via, scusi, quel suo segretario?

Il padre

Benissimo! Lo cacciai difatti, signore! Ma vidi allora questa povera donna restarmi per casa come sperduta, come una di quelle bestie senza padrone, che si raccolgono per carità.

La madre

Eh, sfido!

Il padre (subito, voltandosi a lei, come per prevenire)

figlio, è vero?

La madre

Mi aveva tolto prima dal petto il figlio, signore.

Il padre

Ma non per crudeltà! Per farlo crescere sano e robusto, a contatto della terra!

La figliastra (additandolo, ironica)

E si vede!

Il padre (subito)

Ah, è anche colpa mia, se poi è cresciuto così? Lo avevo dato a balia, signore, in campagna, a una contadina, non parendomi lei forte abbastanza, benché di umili natali. È stata la stessa ragione, per cui avevo sposato lei. Ubbie, forse; ma che ci vuol fare? Ho sempre avuto di queste maledette aspirazioni a una certa solida sanità morale!

La Figliastra, a questo punto, scoppierà di nuovo a ridere fragorosamente.

Ma la faccia smettere! È insopportabile!

Il capocomico

La smetta! Mi lasci sentire, santo Dio!

Subito, di nuovo, alla riprensione del Capocomico, ella resterà come assorta e lontana, con la risata a mezzo. Il Capocomico ridiscenderà dal palcoscenico per cogliere l'impressione della scena.

Il padre

Io non potei più vedermi accanto questa donna.

Indicherà la Madre.

Ma non tanto, creda, per il fastidio, per l'afa - vera afa - che ne avevo io, quanto per la pena - una pena angosciosa - che provavo per lei.

La madre

E mi mandò via!

Il padre

Ben provvista di tutto, a quell'uomo, sissignore, - per liberarla di me!

La madre

E liberarsi lui!

Il padre

Sissignore, anch'io - lo ammetto! E n'è seguito un gran male. Ma a fin di bene io lo feci... e più per lei che per me: lo giuro!

Incrocerà le braccia sul petto; poi, subito, rivolgendosi alla Madre:

Ti perdei mai d'occhio, dì, ti perdei mai d'occhio, finché colui non ti portò via, da un giorno all'altro, a mia insaputa, in un altro paese, scioccamente impressionato di quel mio interessamento puro, puro, signore, creda, senza il minimo secondo fine. M'interessai con una incredibile tenerezza della nuova famigliuola che le cresceva. Glielo può attestare anche lei!

Indicherà la Figliastra.

La figliastra

Eh, altro! Piccina piccina, sa? con le treccine sulle spalle e le mutandine più lunghe della gonna - piccina così - me lo vedevo davanti al portone della scuola, quando ne uscivo. Veniva a vedermi come crescevo.

Il padre

Questo è perfido! Infame!

La figliastra

No, perché?

Il padre

Infame! Infame!

Subito, concitatamente, al Capocomico, in tono di spiegazione:

La mia casa, signore, andata via lei,

indicherà la Madre

mi parve subito vuota. Era il mio incubo; ma me la riempiva! Solo, mi ritrovai per le stanze come una mosca senza capo. Quello lì,

indicherà il Figlio

allevato fuori - non so - appena ritornato in casa, non mi parve più mio. Mancata tra me e lui la madre, è cresciuto per sè, a parte, senza nessuna relazione né affettiva né intellettuale con me. E allora (sarà strano, signore, ma è così), io fui incuriosito prima, poi man mano attratto verso la famigliuola di lei, sorta per opera mia: il pensiero di essa cominciò a riempire il vuoto che mi sentivo attorno. Avevo bisogno, proprio bisogno di crederla in pace, tutta intesa alle cure più semplici della vita, fortunata perché fuori e lontana dai complicati tormenti del mio spirito. E per averne una prova, andavo a vedere quella bambina all'uscita della scuola.

La figliastra

Già! Mi seguiva per via: mi sorrideva e, giunta a casa, mi salutava con la mano - così! Lo guardavo con tanto d'occhi, scontrosa. Non sapevo chi fosse! Lo dissi alla mamma. E lei dovette subito capire ch'era lui.

La Madre farà cenno di sì col capo.

Dapprima non volle mandarmi più a scuola, per parecchi giorni. Quando ci tornai, lo rividi all'uscita - buffo! - con un involtone di carta tra le mani. Mi s'avvicinò, mi carezzò; e trasse da quell'involto una bella, grande paglia di Firenze con una ghirlandina di roselline di maggio - per me!

Il capocomico

Ma tutto questo è racconto, signori miei!

Il figlio (sprezzante)

Ma sì, letteratura! letteratura!

Il padre

Ma che letteratura! Questa è vita, signore! Passione!

Il capocomico

Sarà! Ma irrappresentabile!

Il padre

D'accordo, signore! Perché tutto questo è antefatto. E io non dico di rappresentar questo. Come vede, infatti, lei

indicherà la Figliastra

non è più quella ragazzetta con le treccine sulle spalle

La figliastra

e le mutandine fuori della gonna!

Il padre

Il dramma viene adesso, signore! Nuovo, complesso.

La figliastra (cupa, fiera, facendosi avanti)

Appena morto mio padre.

Il padre (subito, per non darle tempo di parlare)

...la miseria, signore! Ritornano qua, a mia insaputa, per la stolidaggine di lei.

Indicherà la Madre.

Sa scrivere appena; ma poteva farmi scrivere dalla figlia, da quel ragazzo, che erano in bisogno!

La madre

Mi dica lei, signore, se potevo indovinare in lui tutto questo sentimento.

Il padre

Appunto questo è il tuo torto, di non aver mai indovinato nessuno dei miei sentimenti!

La madre

Dopo tanti anni di lontananza, e tutto ciò che era accaduto...

Il padre

E che è colpa mia, se quel brav'uomo vi portò via così?

Rivolgendosi al Capocomico:

Le dico, da un giorno all'altro...perché aveva trovato fuori non so che collocamento. Non mi fu possibile rintracciarli; e allora per forza venne meno il mio interessamento, per tanti anni. Il dramma scoppia, signore, impreveduto e violento, al loro ritorno; allorché io, purtroppo, condotto dalla miseria della mia carne ancora viva...Ah, miseria, miseria veramente, per un uomo solo, che non abbia voluto legami avvilenti; non ancor tanto vecchio da poter fare a meno della donna, e non più tanto giovane da poter facilmente e senza vergogna andarne in cerca! Miseria? che dico! orrore, orrore: perché nessuna donna più gli può dare amore. - E quando si capisce questo, se ne dovrebbe fare a meno... Mah! Signore, ciascuno - fuori, davanti agli altri - è vestito di dignità: ma dentro di sè sa bene tutto ciò che nell'intimità con se stesso si passa, d'inconfessabile. Si cede, si cede alla tentazione; per rialzarcene subito dopo, magari, con una gran fretta di ricomporre intera e solida, come una pietra su una fossa, la nostra dignità, che nasconde e seppellisce ai nostri stessi occhi ogni segno e il ricordo stesso della vergogna. È così di tutti! Manca solo il coraggio di dirle, certe cose!

La figliastra

Perché quello di farle, poi, lo hanno tutti!

Il padre

Tutti! Ma di nascosto! E perciò ci vuol più coraggio a dirle! Perché basta che uno le dica - è fatta! - gli s'appioppa la taccia di cinico. Mentre non è vero, signore: è come tutti gli altri; migliore, migliore anzi, perché non ha paura di scoprire col lume dell'intelligenza il rosso della vergogna, là, nella bestialità umana, che chiude sempre gli occhi per non vederlo. La donna - ecco - la donna, infatti, com'è? Ci guarda, aizzosa, invitante. La afferri! Appena stretta, chiude subito gli occhi. È il segno della sua dedizione. Il segno con cui dice all'uomo: "Accecati, io son cieca!".

La figliastra

E quando non li chiude più? Quando non sente più il bisogno di nascondere a se stessa, chiudendo gli occhi, il rosso della sua vergogna, e invece vede, con occhi ormai aridi e impassibili, quello dell'uomo, che pur senz'amore s'è accecato? Ah, che schifo, allora che schifo di tutte codeste complicazioni intellettuali, di tutta codesta filosofia che scopre la bestia e poi la vuol salvare, scusare...Non posso sentirlo, signore! Perché quando si è costretti a "semplificarla" la vita - così, bestialmente - buttando via tutto l'ingombro "umano" d'ogni casta aspirazione, d'ogni puro sentimento, idealità, doveri, il pudore, la vergogna, niente fa più sdegno e nausea di certi rimorsi: lagrime di coccodrillo!

Il capocomico

Veniamo al fatto, veniamo al fatto, signori miei! Queste son discussioni!

Il padre

Ecco, sissignore! Ma un fatto è come un sacco: vuoto, non si regge. Perché si regga, bisogna prima farci entrar dentro la ragione e i sentimenti che lo han determinato. Io non potevo sapere che, morto là quell'uomo, e ritornati essi qua in miseria, per provvedere al sostentamento dei figliuoli, ella

indicherà la Madre

si fosse data attorno a lavorare da sarta, e che giusto fosse andata a prender lavoro da quella... da quella Madama Pace!

La figliastra

Sarta fina, se lor signori lo vogliono sapere! Serve in apparenza le migliori signore, ma ha tutto disposto, poi, perché queste migliori signore servano viceversa a lei...senza pregiudizio delle altre così così!

La madre

Mi crederà, signore, se le dico che non mi passò neppur lontanamente per il capo il sospetto che quella megera mi dava lavoro perché aveva adocchiato mia figlia...

La figliastra

Povera mamma! Sa, signore, che cosa faceva quella lì, appena le riportavo il lavoro fatto da lei? Mi faceva notare la roba che aveva sciupata, dandola a cucire a mia madre; e diffalcava, diffalcava. Cosicché, lei capisce, pagavo io, mentre quella poverina credeva di sacrificarsi per me e per quei due, cucendo anche di notte la roba di Madama Pace!

Azione ed esclamazioni di sdegno degli Attori.

Il capocomico (subito)

E là, lei, un giorno, incontrò-

La figliastra (indicando il Padre)

- lui, lui, sissignore! vecchio cliente! Vedrà che scena da rappresentare!

Superba!

Il padre

Col sopravvenire di lei, della madre

La figliastra (subito, perfidamente)

- quasi a tempo! -

Il padre (gridando)

- no, a tempo, a tempo! Perché, per fortuna, la riconosco a tempo! E me li riporto tutti a casa, signore! Lei s'immagini, ora, la situazione mia e la sua, una di fronte all'altro: ella, così come la vede; e io che non posso più alzarle gli occhi in faccia!

La figliastra

Buffissimo! Ma possibile, signore, pretendere da me - "dopo" - che me ne stessi come una signorinetta modesta, bene allevata e virtuosa, d'accordo con le sue maledette aspirazioni "a una solida sanità morale"?

38

Il padre

Il dramma per me è tutto qui, signore: nella coscienza che ho, che ciascuno di noi - veda - si crede "uno" ma non è vero: è "tanti", signore, "tanti", secondo tutte le possibilità d'essere che sono in noi: "uno" con questo, "uno" con quello - diversissimi! E con l'illusione, intanto, d'esser sempre "uno per tutti", e sempre "quest'uno" che ci crediamo, in ogni nostro atto. Non è vero! non è vero! Ce n'accorgiamo bene, quando in qualcuno dei nostri atti, per un caso sciaguratissimo, restiamo all'improvviso come agganciati e sospesi: ci accorgiamo, voglio dire, di non esser tutti in quell'atto, e che dunque una atroce ingiustizia sarebbe giudicarci da quello solo, tenerci agganciati e sospesi, alla gogna, per una intera esistenza, come se questa fosse assommata tutta in quell'atto! Ora lei intende la perfidia di questa ragazza? M'ha sorpreso in un luogo, in un atto, dove e come non doveva conoscermi, come io non potevo essere per lei; e mi vuol dare una realtà, quale io non potevo mai aspettarmi che dovessi assumere per lei, in un momento fugace, vergognoso, della mia vita! Questo, questo, signore, io sento sopratutto. E vedrà che da questo il dramma acquisterà un grandissimo valore. Ma c'è poi la situazione degli altri! Quella sua.. .

indicherà il Figlio.

Il figlio (scrollandosi sdegnosamente)

Ma lascia star me, ché io non c'entro!

Il padre

Come non c'entri?

Il figlio

Non c'entro, e non voglio entrarci, perché sai bene che non son fatto per figurare qua in mezzo a voi!

La figliastra

Gente volgare, noi! - Lui, fino! - Ma lei può vedere, signore, che tante volte io lo guardo per inchiodarlo col mio disprezzo, e tante volte egli abbassa gli occhi - perché sa il male che m'ha fatto.

Il figlio (guardandola appena)

Io?

La figliastra

Tu! tu! Lo devo a te, caro, il marciapiedi! a te!

Azione d'orrore degli Attori.

Vietasti, sì o no, col tuo contegno - non dico l'intimità della casa - ma quella carità che leva d'impaccio gli ospiti? Fummo gli intrusi, che venivamo a invadere il regno della tua "legittimità"! Signore, vorrei farlo assistere a certe scenette a quattr'occhi tra me e lui! Dice che ho tiranneggiato tutti. Ma vede? E stato proprio per codesto suo contegno, se mi sono avvalsa di quella ragione ch'egli chiama "vile"; la ragione per cui entrai nella casa di lui con mia madre - che è anche sua madre - da padrona!

Il figlio (facendosi avanti lentamente)

Hanno tutti buon giuoco, signore, una parte facile tutti contro di me. Ma lei s'immagini un figlio, a cui un bel giorno, mentre se ne sta tranquillo a casa, tocchi di veder arrivare, tutta spavalda, così, "con gli occhi alti", una signorina che gli chiede del padre, a cui ha da dire non so che cosa; e poi la vede ritornare, sempre con la stess'aria, accompagnata da quella piccolina là; e infine trattare il padre - chi sa perché - in modo molto ambiguo e "sbrigativo" chiedendo danaro, con un tono che lascia supporre che lui deve, deve darlo, perché ha tutto l'obbligo di darlo -

Il padre

- ma l'ho difatti davvero, quest'obbligo: è per tua madre!

Il figlio

E che ne so io? Quando mai l'ho veduta io, signore? Quando mai ne ho sentito parlare? Me la vedo comparire, un giorno, con lei,

indicherà la Figliastra

con quel ragazzo, con quella bambina, mi dicono: "Oh sai? è anche tua madre!". Riesco a intravedere dai suoi modi

indicherà di nuovo la Figliastra

per qual motivo, così da un giorno all'altro, sono entrati in casa... Signore, quello che io provo, quello che sento, non posso e non voglio esprimerlo. Potrei al massimo confidarlo, e non vorrei neanche a me stesso. Non può dunque dar luogo, come vede, a nessuna azione da parte mia. Creda, creda, signore, che io sono un personaggio non "realizzato" drammaticamente; e che sto male, malissimo, in loro compagnia! -Mi lascino stare!

Il padre

Ma come? Scusa! Se proprio perché tu sei così -

Il figlio (con esasperazione violenta)

- e che ne sai tu, come sono? quando mai ti sei curato di me?

Il padre

Ammesso! Ammesso! E non è una situazione anche questa? Questo tuo appartarti, così crudele per me, per tua madre che, rientrata in casa, ti vede quasi per la prima volta, così grande, e non ti conosce, ma sa che tu sei suo figlio...

Additando la Madre al Capocomico

Eccola, guardi: piange!

La figliastra (con rabbia, pestando un piede)

Come una stupida!

Il padre (subito additando anche lei al Capocomico)

E lei non può soffrirlo, si sa!

Tornando a riferirsi al Figlio:

- Dice che non c'entra, mentre è lui quasi il pernio dell'azione! Guardi quel ragazzo, che se ne sta sempre presso la madre, sbigottito, umiliato...È così per causa di lui! Forse la situazione più penosa è la sua: si sente estraneo, più di tutti; e prova, poverino, una mortificazione angosciosa di essere accolto in casa - cosi per carità...

In confidenza:

Somiglia tutto al padre! Umile; non parla...

Il capocomico

Eh, ma non è mica bello! Lei non sa che impaccio danno i ragazzi sulla scena.

Il padre

Oh, ma lui glielo leva subito, l'impaccio, sa! E anche quella bambina, che è anzi la prima ad andarsene...

Il capocomico

Benissimo, sì! E le assicuro che tutto questo m'interessa, m'interessa vivamente. Intuisco, intuisco che c'è materia da cavarne un bel dramma!

La figliastra (tentando d'intromettersi)

Con un personaggio come me!

Il padre (scacciandola, tutto in ansia come sarà, per la decisione del Capocomico)

Stai zitta, tu!

Il capocomico (seguitando senza badare all'interruzione)

Nuova, sì...

Il padre

Eh, novissima, signore!

Il capocomico

Ci vuole un bel coraggio però - dico - venire a buttarmelo davanti così.. .

Il padre

Capirà, signore: nati, come siamo, per la scena...

Il capocomico

Sono comici dilettanti?

Il padre

No: dico nati per la scena, perché...

Il capocomico

Eh via, lei deve aver recitato!

Il padre

Ma no, signore: quel tanto che ciascuno recita nella parte che si è assegnata, o che gli altri gli hanno assegnato nella vita. E in me, poi, è la passione stessa, veda, che diventa sempre, da sè, appena si esalti - come in tutti - un po' teatrale...

Il capocomico

Lasciamo andare, lasciamo andare! - Capirà, caro signore, che senza l'autore... - Io potrei indirizzarla a qualcuno...

Il padre

Ma no, guardi: sia lei!

Il capocomico

Io? Ma che dice?

Il padre

Sì, lei! lei! Perché no?

Il capocomico

Perché non ho mai fatto l'autore, io!

Il padre

E non potrebbe farlo adesso, scusi? Non ci vuol niente. Lo fanno tanti! Il suo compito è facilitato dal fatto che siamo qua, tutti, vivi davanti a lei.

Il capocomico

Ma non basta!

Il padre

Come non basta? Vedendoci vivere il nostro dramma...

Il capocomico

Già! Ma ci vorrà sempre qualcuno che lo scriva!

Il padre

No - che lo trascriva, se mai, avendolo così davanti - in azione - scena per scena. Basterà stendere in prima, appena appena, una traccia - e provare!

Il capocomico (risalendo, tentato, sul palcoscenico)

Eh...quasi quasi, mi tenta...Così, per un giuoco...Si potrebbe veramente provare...

Il padre

Ma sì, signore! Vedrà che scene verranno fuori! Gliele posso segnar subito io!

Il capocomico

Mi tenta... mi tenta. Proviamo un po'... Venga qua con me nel mio camerino.

Rivolgendosi agli Attori:

- Loro restano per un momento in libertà; ma non s'allontanino di molto. Fra un quarto d'ora, venti minuti, siano di nuovo qua.

Al Padre:

Vediamo, tentiamo...Forse potrà venir fuori veramente qualcosa di straordinario...

Il padre

Ma senza dubbio! Sarà meglio, non crede? far venire anche loro.

Indicherà gli altri Personaggi.

Il capocomico

Sì, vengano, vengano!

S'avvierà; ma poi tornando a volgersi agli Attori:

- Mi raccomando, eh! puntuali! Fra un quarto d'ora.

Il Capocomico e i Sei Personaggi attraverseranno il palcoscenico e scompariranno. Gli Attori resteranno, come storditi, a guardarsi tra loro.

Il primo attore

Ma dice sul serio? Che vuol fare?

L'attor giovane

Questa è pazzia bell'e buona!

Un terzo attore

Ci vuol fare improvvisare un dramma, così su due piedi?

L'attor giovane

Già! Come i Comici dell'Arte!

La prima attrice

Ah, se crede che io debba prestami a simili scherzi...

L'attrice giovane

Ma non ci sto neanch'io!

Un quarto attore

Vorrei sapere chi sono quei là.

Alluderà ai Personaggi.

Il terzo attore

Che vuoi che siano! Pazzi o imbroglioni!

L'attor giovane

E lui si presta a dar loro ascolto?

L'attrice giovane

La vanità! La vanità di figurare da autore...

Il primo attore

Ma cose inaudite! Se il teatro, signori miei, deve ridursi a questo...

Un quinto attore

Io mi ci diverto!

Il terzo attore

Mah! Dopo tutto, stiamo a vedere che cosa ne nasce.

E così conversando tra loro, gli Attori sgombreranno il palcoscenico, parte escendo dalla porticina in fondo, parte rientrando nei loro camerini.

Il sipario resterà alzato.

La rappresentazione sarà interrotta per una ventina di minuti.

* * *

I campanelli del teatro avviseranno che la rappresentazione ricomincia. Dai camerini, dalla porta e anche dalla sala ritorneranno sul palcoscenico gli Attori, il Direttore di scena, il Macchinista, il Suggeritore, il Trovarobe e, contemporaneamente, dal suo camerino il Direttore-Capocomico coi Sei Personaggi. Spenti i lumi della sala, si rifarà sul palcoscenico la luce di prima.

Il capocomico

Su, su, signori! Ci siamo tutti? Attenzione, attenzione. Si comincia!

Macchinista!

Il macchinista

Eccomi qua!

Il capocomico

Disponga subito la scena della saletta. Basteranno due fiancate e un fondalino con la porta. Subito, mi raccomando!

Il Macchinista correrà subito ad eseguire, e mentre il Capocomico s'intenderà col Direttore di scena, col Trovarobe, col Suggeritore e con gli Attori intorno alla rappresentazione imminente, disporrà quel simulacro di scena indicata: due fiancate e un fondalino con la porta, a strisce rosa e oro.

Il capocomico (al Trovarobe)

Lei veda un po' se c'è in magazzino un letto a sedere.

Il trovarobe

Sissignore, c'è quello verde.

La figliastra

No no, che verde! Era giallo, fiorato, di "peluche", molto grande!

Comodissimo.

Il trovarobe

Eh, così non c'è.

Il capocomico

Ma non importa! Metta quello che c'è.

La figliastra

Come non importa? La greppina famosa di Madama Pace!

Il capocomico

Adesso è per provare! La prego, non s'immischi!

Al Direttore di scena:

Guardi se c'è una vetrina piuttosto lunga e bassa.

La figliastra

Il tavolino, il tavolino di mogano per la busta cilestrina!

Il direttore di scena (al Capocomico).

C'è quello piccolo, dorato.

Il capocomico

Va bene, prenda quello!

Il padre

Una specchiera.

La figliastra

E il paravento! Un paravento, mi raccomando: se no, come faccio?

Il direttore di scena

Sissignora, paraventi ne abbiamo tanti, non dubiti.

Il capocomico (alla Figliastra)

Poi qualche attaccapanni, è vero?

La figliastra

Sì, molti, molti!

Il capocomico (al Direttore di scena)

Veda quanti ce n'è, e li faccia portare.

Il direttore di scena

Sissignore, penso io!

Il Direttore di scena correrà anche lui a eseguire: e, mentre il Capocomico seguiterà a parlare col Suggeritore e poi coi Personaggi e gli Attori, farà trasportare i mobili indicati dai Servi di scena e li disporrà come crederà più opportuno.

Il capocomico (al Suggeritore)

Lei, intanto, prenda posto. Guardi: questa è la traccia delle scene, atto per atto.

Gli porgerà alcuni fogli di carta.

Ma bisogna che ora lei faccia una bravura.

Il suggeritore

Stenografare?

Il capocomico (con lieta sorpresa)

Ah, benissimo! Conosce la stenografia?

Il suggeritore

Non saprò suggerire; ma la stenografia...

Il capocomico

Ma allora di bene in meglio!

Rivolgendosi a un Servo di scena:

Vada a prendere la carta nel mio camerino. - molta, molta - quanta ne trova!

Il Servo di scena correrà, e ritornerà poco dopo con un bel fascio di carta, che porgerà al Suggeritore.

Il capocomico (seguitando, al Suggeritore)

Segua le scene, man mano che saranno rappresentate, e cerchi di fissare le battute, almeno le più importanti!

Poi, rivolgendosi agli Attori:

Sgombrino, signori! Ecco, si mettano da questa parte

indicherà la sinistra

e stiano bene attenti!

La prima attrice

Ma, scusi, noi...

Il capocomico (prevenendola)

Non ci sarà da improvvisare, stia tranquilla!

Il primo attore

E che dobbiamo fare?

Il capocomico

Niente! Stare a sentire e guardare per ora! Avrà ciascuno, poi, la sua parte scritta. Ora si farà così alla meglio, una prova! La faranno loro!

Indicherà i Personaggi.

Il padre (come cascato dalle nuvole, in mezzo alla confusione del palcoscenico)

Noi? Come sarebbe a dire, scusi, una prova?

Il capocomico

Una prova - una prova per loro!

Indicherà gli Attori.

Il padre

Ma se i personaggi siamo noi...

Il capocomico

E va bene: "i personaggi"; ma qua, caro signore, non recitano i personaggi. Qua recitano gli attori. I personaggi stanno lì nel copione

indicherà la buca del Suggeritore

- quando c'è un copione!

Il padre

Appunto! Poiché non c'è e lor signori hanno la fortuna d'averli qua vivi davanti, i personaggi...

Il capocomico

Oh bella! Vorrebbero far tutto da sè? recitare, presentarsi loro davanti al pubblico?

Il padre

Eh già, per come siamo.

Il capocomico

Ah, le assicuro che offrirebbero un bellissimo spettacolo!

Il primo attore

E che ci staremmo a fare nojaltri, qua, allora?

Il capocomico

Non s'immagineranno mica di saper recitare loro! Fanno ridere...

Gli Attori, difatti, rideranno.

Ecco, vede, ridono!

Sovvenendosi:

Ma già, a proposito! Bisognerà assegnar le parti. Oh, è facile: sono già di per sè assegnate:

alla Seconda Donna:

lei signora, La Madre.

Al Padre

Bisognerà trovarle un nome.

Il Padre

Amalia, signore

Il capocomico

Ma questo è il nome della sua signora. Non vorremo mica chiamarla col suo vero nome!

Il padre

E perché no, scusi? se si chiama così...Ma già, se dev'essere la signora...

Accennerà appena con la mano alla Seconda Donna.

Io vedo questa

accennerà alla Madre

come Amalia, signore. Ma faccia lei...

Si smarrirà sempre più.

Non so più che dirle...Comincio già... non so, a sentir come false, con un altro suono, le mie stesse parole.

Il capocomico

Ma non se ne curi, non se ne curi, quanto a questo! Penseremo noi a trovare il tono giusto! E per il nome, se lei vuole "Amalia", sarà Amalia; o ne troveremo un altro. Per adesso designeremo i personaggi così:

all'Attor Giovane:

lei "Il Figlio",

alla Prima Attrice:

lei, signorina, s'intende, "La Figliastra".

La figliastra (esilarata)

Come come? Io, quella lì?

Scoppierà a ridere.

Il capocomico (irato)

Che cos'ha da ridere?

La prima attrice (indignata)

Nessuno ha mai osato ridersi di me! Pretendo che mi si rispetti, o me ne vado!

La Figliastra

Ma no, scusi, io non rido di lei.

Il capocomico (alla Figliastra)

Dovrebbe sentirsi onorata d'esser rappresentata da...

La prima attrice (subito, con sdegno)

"Quella lì!"

La figliastra

Ma non dicevo per lei, creda! dicevo per me, che non mi vedo affatto in lei, ecco. Non so, non...non m'assomiglia per nulla!

Il padre

Già, è questo; veda, signore! La nostra espressione –

Il capocomico

ma che loro espressione! Credono d'averla in sè, loro, l'espressione? Nient'affatto!

Il padre

Come! Non abbiamo la nostra espressione?

Il capocomico

Nient'affatto! La loro espressione diventa materia qua, a cui dan corpo e figura, voce e gesto gli attori, i quali – per sua norma – han saputo dare espressione a ben più alta materia: dove la loro è così piccola, che se si reggerà sulla scena, il merito, creda pure, sarà tutto dei miei attori.

Il padre

Non oso contraddirla, signore. Ma creda che è una sofferenza orribile per noi che siamo così come ci vede, con questo corpo, con questa figura –

Il capocomico (troncando, spazientito)

ma si rimedia col trucco, si rimedia col trucco, caro signore, per ciò che riguarda la figura!

Il padre

Già; ma la voce, il gesto –

Il capocomico

oh, insomma! Qua lei, come lei, non può essere! Qua c'è l'attore che lo rappresenta; e basta!

Il padre

Ho capito, signore. Ma ora forse indovino anche perché il nostro autore, che ci vide vivi così, non volle poi comporci per la scena. Non voglio fare offesa ai suoi attori. Dio me ne guardi! Ma penso che a vedermi adesso rappresentato... non so da chi...

Il primo attore (con alterigia alzandosi e venendogli incontro, seguito dalle gaje giovani Attrici che rideranno).

Da me, se non le dispiace.

Il padre (umile e mellifluo).

Onoratissimo, signore.

S'inchinerà.

Ecco, penso che, per quanto il signore s'adoperi con tutta la sua volontà e tutta la sua arte ad accogliermi in sè...

Si smarrirà.

Il primo attore

Concluda, concluda.

Risata delle Attrici.

Il padre

Eh, dico, la rappresentazione che farà - anche forzandosi col trucco a somigliarmi... - dico, con quella statura...

tutti gli Attori rideranno

difficilmente potrà essere una rappresentazione di me, com'io realmente sono. Sarà piuttosto - a parte la figura - sarà piuttosto com'egli interpreterà ch'io sia, com'egli mi sentirà - se mi sentirà - e non com'io dentro di me mi sento. E mi pare che di questo, chi sia chiamato a giudicare di noi, dovrebbe tener conto.

Il capocomico

Si dà pensiero dei giudizi della critica adesso? E io che stavo ancora a sentire! Ma lasci che dica, la critica. E noi pensiamo piuttosto a metter su la commedia, se ci riesce!

Staccandosi e guardando in giro:

Su, su! È già disposta la scena?

Agli Attori e ai Personaggi:

Si levino, si levino d'attorno! Mi lascino vedere.

Discenderà dal palcoscenico.

Non perdiamo altro tempo!

Alla Figliastra:

Le pare che la scena stia bene così?

La figliastra

Mah! io veramente non mi ci ritrovo.

Il capocomico

E d...lli! Non pretenderà che le si edifichi qua, tal quale, quel retrobottega che lei conosce, di Madama Pace!

Al Padre:

M'ha detto una saletta a fiorami?

Il padre

Sissignore. Bianca.

Il capocomico

Non è bianca; è a strisce; ma poco importa! Per i mobili, su per giù, mi pare che ci siamo! Quel tavolinetto, lo portino un po' più qua davanti!

I Servi di scena eseguiranno. Al Trovarobe:

Lei provveda intanto una busta, possibilmente cilestrina, e la dia al signore.

Indicherà il Padre.

Il trovarobe

Da lettere?

Il capocomico e il padre

Da lettere, da lettere.

Il trovarobe

Subito!

Escirà.

Il capocomico

Su, su! La prima scena è della Signorina.

La prima Attrice si farà avanti.

Ma no, aspetti, lei! dicevo alla Signorina.

Indicherà la Figliastra.

Lei starà a vedere -

La figliastra (subito aggiungendo)

- come la vivo!

58

La prima attrice (risentita)

Ma saprò viverla anch'io, non dubiti, appena mi ci metto!

Il capocomico (con le mani alla testa)

Signori miei, non facciamo altre chiacchiere! Dunque, la prima scena è della Signorina con Madama Pace. Oh,

si smarrirà, guardandosi attorno e risalirà sul palcoscenico

e questa Madama Pace?

Il padre

Non è con noi, signore.

Il capocomico

E come si fa?

Il padre

Ma è viva, viva anche lei!

Il capocomico

Già! Ma dov'è?

Il padre

Ecco, mi lasci dire.

Rivolgendosi alle Attrici:

Se loro signore mi volessero far la grazia di darmi per un momento i loro cappellini.

Le attrici (un po' sorprese, un po' ridendo, a coro)

    - Che?

    - I cappellini?

    - Che dice?

    - Perché?

- Ah, guarda!

Il capocomico

    Che vuol fare coi cappellini delle signore?

                Gli Attori rideranno.

Il padre

    Oh nulla, posarli per un momento su questi attaccapanni. E qualcuna dovrebbe essere così gentile di levarsi anche il mantello.

                Gli attori (c.s.)

    - Anche il mantello?

    - E poi?

- Dev'esser matto!

Qualche attrice (c.s.)

    - Ma perché?

    - Il mantello soltanto?

Il padre

    Per appenderli, un momentino...Mi facciano questa grazia. Vogliono?

Le attrici (levandosi i cappellini e qualcuna anche il mantello, seguiteranno a ridere, ed andando ad appenderli qua e là agli attaccapanni).

- E perché no?

- Ecco qua!

- Ma badate che è buffo sul serio!

- Dobbiamo metterli in mostra?

Il padre

Ecco, appunto, sissignora: così in mostra!

Il capocomico

Ma si può sapere per che farne?

Il padre

Ecco, signore: forse, preparandole meglio la scena, attratta dagli oggetti stessi del suo commercio, chi sa che non venga tra noi...

Invitando a guardare verso l'uscio in fondo della scena:

Guardino! guardino!

L'uscio in fondo s'aprirà e verrà avanti di pochi passi Madama Pace, megera d'enorme grassezza, con una pomposa parrucca di lana color carota e una rosa fiammante da un lato, alla spagnola; tutta ritinta, vestita con goffa eleganza di seta rossa sgargiante, un ventaglio di piume in una mano e l'altra mano levata a sorreggere tra due dita la sigaretta accesa. Subito, all'apparizione, gli Attori e il Capocomico schizzeranno via dal palcoscenico con un urlo di spavento, precipitandosi alla scaletta e accenneranno di fuggire per il corridojo. La Figliastra, invece, accorrerà a Madama Pace, umile, come davanti a una padrona.

La figliastra (accorrendo)

Eccola! Eccola!

Il padre (raggiante)

È lei! Lo dicevo io? Eccola qua!

Il capocomico (vincendo il primo stupore, indignato)

Ma che trucchi son questi?

Il primo attore (quasi contemporaneamente)

Ma dove siamo, insomma?

L'attor giovane (c.s.)

Di dove è comparsa quella lì?

L'attrice giovane (c.s.)

La tenevano in serbo!

La prima attrice (c.s.)

Questo è un giuoco di bussolotti!

Il padre (dominando le proteste)

Ma scusino! Perché vogliono guastare, in nome d'una verità volgare, di fatto, questo prodigio di una realtà che nasce, evocata, attratta, formata dalla stessa scena, e che ha più diritto di viver qui, che loro; perché assai più vera di loro? Quale attrice fra loro rifarà poi Madama Pace? Ebbene: Madama Pace è quella! Mi concederanno che l'attrice che la rifarà, sarà meno vera di quella - che è lei in persona! Guardino: mia figlia l'ha riconosciuta e le si è subito accostata! Stiano a vedere, stiano a vedere la scena!

Titubanti, il Capocomico e gli Attori risaliranno sul palcoscenico.

Ma già la scena tra la Figliastra e Madama Pace, durante la protesta degli Attori e la risposta del Padre, sarà cominciata, sottovoce, pianissimo, insomma naturalmente, come non sarebbe possibile farla avvenire su un palcoscenico. Cosicché, quando gli Attori, richiamati dal Padre all'attenzione, si volteranno a guardare, e vedranno Madama Pace che avrà già messo una mano sotto il mento alla

62

Figliastra per farle sollevare il capo, sentendola parlare in un modo affatto ininteligibile, resteranno per un momento intenti; poi, subito dopo, delusi.

Il capocomico

Ebbene?

Il primo attore

Ma che dice?

La prima attrice

Così non si sente nulla!

L'attor giovane

Forte! forte!

La figliastra (lasciando Madama Pace che sorriderà di un impagabile sorriso, e facendosi avanti al crocchio degli Attori).

"Forte", già! Che forte? Non son mica cose che si possano dir forte! Le ho potute dir forte io per la sua vergogna,

indicherà il Padre

che è la mia vendetta! Ma per Madama è un'altra cosa, signori: c'è la galera!

Il capocomico

Oh bella! Ah, è così? Ma qui bisogna che si facciano sentire, cara lei! Non sentiamo nemmeno noi, sul palcoscenico! Figurarsi quando ci sarà il pubblico in teatro! Bisogna far la scena. E del resto possono ben parlar forte tra loro, perché noi non saremo mica qua, come adesso, a sentire: loro fingono d'esser sole, in una stanza, nel retrobottega, che nessuno le sente.

La Figliastra, graziosamente, sorridendo maliziosa, farà più volte cenno di no, col dito.

Il capocomico

Come no?

La figliastra (sottovoce, misteriosamente).

C'è qualcuno che ci sente, signore, se lei

indicherà Madama Pace

parla forte!

Il capocomico (costernatissimo)

Deve forse scappar fuori qualche altro?

Gli Attori accenneranno di scappar di nuovo dal Palcoscenico.

Il padre

No, no, signore. Allude a me. Ci debbo esser io, là dietro quell'uscio, in attesa; e Madama lo sa. Anzi, mi permettano! Vado per esser subito pronto.

Farà per avviarsi.

Il capocomico (fermandolo)

Ma no, aspetti! Qua bisogna rispettare le esigenze del teatro! Prima che lei sia pronto...

La figliastra (interrompendolo)

Ma sì, subito! subito! Mi muojo, le dico, dalla smania di viverla, di vederla questa scena! Se lui vuol esser subito pronto, io sono prontissima!

Il capocomico (gridando)

Ma bisogna che prima venga fuori, ben chiara, la scena tra lei e quella lì.

indicherà Madama Pace.

Lo vuol capire?

La figliastra

Oh Dio mio, signore: m'ha detto quel che lei già sa: che il lavoro della mamma ancora una volta è fatto male, la roba è sciupata; e che bisogna ch'io abbia pazienza, se voglio che ella seguiti ad ajutarci nella nostra miseria.

Madama Pace (facendosi avanti, con una grand'aria di importanza).

Eh ciò, señor; porqué yò nó quero aproveciarme...avantaciarme...

Il capocomico (quasi atterrito)

Come come? Parla così!

Tutti gli Attori scoppieranno a ridere fragorosamente.

La figliastra (ridendo anche lei)

Sì, signore, parla così, mezzo spagnolo e mezzo italiano, in un modo buffissimo!

Madama Pace

Ah, no me par bona crianza che loro ridano de mi, si yò me sfuerzo de hablar, come podo, italiano, señor!

Il capocomico

Ma no! Ma anzi! Parli così! parli così, signora! Effetto sicuro! Non si può dar di meglio anzi, per rompere un po' comicamente la crudezza della situazione. Parli, parli così! Va benissimo!

La figliastra

Benissimo! Come no? Sentirsi fare con un tal linguaggio certe proposte: effetto sicuro, perché par quasi una burla, signore! Ci si mette a ridere a sentirsi dire che c'è un "vièchio señor" che vuole "amusarse con migo" - non è vero, Madama?

Madama Pace

Viejito, ciò! Viejito, linda; ma mejor para ti: ch'i se no te dò gusto, te porta prudencia!

La madre (insorgendo, tra lo stupore e la costernazione di tutti gli Attori, che non badavano a lei, e che ora balzeranno al grido a trattenerla ridendo, poiché essa avrà intanto strappato a Madama Pace la parrucca e l'avrà buttata a terra).

Strega! strega! assassina! La figlia mia!

La figliastra (accorrendo a trattenere la Madre)

No, no, mamma, no! per carità!

Il padre (accorrendo anche lui, contemporaneamente)

Stà buona, stà buona! A sedere!

La madre

Ma levatemela davanti, allora!

La figliastra (al Capocomico accorso anche lui)

Non è possibile, non è possibile che la mamma stia qui!

Il padre (anche lui al Capocomico)

Non possono stare insieme! È per questo, vede, quella lì, quando siamo venuti, non era con noi! Stando insieme, capirà, per forza s'anticipa tutto.

Il capocomico

Non importa! Non importa! È per ora come un primo abbozzo! Serve tutto, perché io colga anche così, confusamente, i vari elementi.

Rivolgendosi alla Madre e conducendola per farla sedere di nuovo al suo posto:

Via, via, signora, sia buona, sia buona: si rimetta a sedere!

Intanto la Figliastra, andando di nuovo in mezzo alla scena, si rivolgerà a Madama Pace:

La figliastra

Su, su, dunque, Madama.

Madama Pace (offesa)

Ah no, gracie tante! Yò aquy no fado più nada con tua madre presente.

La figliastra

Ma via, faccia entrate questo "vièchio señor porque, se amusi con migo!".

Voltandosi a tutti imperiosa:

Insomma, bisogna farla, questa scena! - Su, avanti!

A Madama Pace:

Lei se ne vada!

Madama Pace

Ah, me voj, me voj - me voj seguramente...

Escirà furiosa raccattando la parrucca e guardando fieramente gli Attori che applaudiranno sghignazzando.

La figliastra (al Padre)

E lei faccia l'entrata! Non c'è bisogno che giri! Venga qua! Finga d'essere entrato! Ecco: io me e sto qua a testa bassa - modesta! - E su! Metta fuori la voce! Mi dica con voce nuova, come uno che venga da fuori: "Buon giorno, signorina".

Il capocomico (sceso già dal palcoscenico).

Oh guarda! Ma insomma, dirige lei o dirigo io?

Al Padre che guarderà sospeso e perplesso:

Eseguisca, sì: vada là in fondo, senza uscire, e rivenga avanti.

Il Padre eseguirà quasi sbigottito. Pallidissimo; ma già investito nella realtà della sua vita creata, sorriderà appressandosi dal fondo, come alieno del dramma che sarà per abbattersi su di lui. Gli Attori si faran subito intenti alla scena che comincia.

Il capocomico (piano, in fretta, al Suggeritore nella buca).

E lei, attento, attento a scrivere, adesso!

La scena

Il padre (avanzando con voce nuova)

Buon giorno, signorina.

La figliastra (a capo chino, con contenuto ribrezzo)

Buon giorno.

Il padre (la spierà un po', di sotto al cappellino che quasi le nasconde il viso, e scorgendo ch'ella è giovanissima, esclamerà quasi fra sè, un po' per compiacenza, un po' anche per timore di compromettersi in un'avventura rischiosa).

Ah... - Ma... dico, non sarà la prima volta, è vero? che lei viene qua.

La figliastra (c.s.)

No, signore.

Il padre

C'è venuta qualche altra volta?

E poiché la Figliastra fa cenno di sì col capo:

Più d'una?

Aspetterà un po' la risposta; tornerà a spiarla di sotto al cappellino: sorriderà; poi dirà:

E dunque, via... non dovrebbe più essere così...Permette che le levi io codesto cappellino?

La figliastra (subito, per prevenirlo, ma contenendo il ribrezzo)

No, signore: me lo levo da me!

Eseguirà in fretta, convulsa.

La Madre, assistendo alla scena, col Figlio e con gli altri due piccoli e più suoi, i quali se ne staranno sempre accanto a lei, appartati nel lato opposto a quello degli Attori, sarà come sulle spine, e seguirà con varia espressione, di dolore, di sdegno, d'ansia, d'orrore, le parole e gli atti di quei due; e ora si nasconderà il volto, ora metterà qualche gemito.

La madre

Oh Dio! Dio mio!

Il padre (resterà, al gemito, come impietrito per un lungo momento; poi riprenderà col tono di prima)

Ecco, mi dia: lo poso io.

Le toglierà dalle mani il cappellino.

Ma su una bella, cara testolina come la sua, vorrei che figurasse un più degno cappellino. Vorrà ajutarmi a sceglierne qualcuno, poi, qua tra questi di Madama? - No?

L'attrice giovane (interrompendolo)

Oh, badiamo bene! Quelli là sono i nostri cappelli!

Il capocomico (subito, arrabbiatissimo)

Silenzio, perdio! Non faccia la spiritosa! - Questa è la scena!

Rivolgendosi alla Figliastra:

Riattacchi, prego, signorina!

La figliastra (riattaccando)

No, grazie, signore.

Il padre

Eh via, non mi dica di no! Vorrà accettarmelo. Me n'avrei a male... Ce n'è di belli, guardi! E poi faremmo contenta Madama. Li mette apposta qua in mostra!

La figliastra

Ma no, signore, guardi: non potrei neanche portarlo.

Il padre

Dice forse per ciò che ne penserebbero a casa, vedendola rientrare con un cappellino nuovo? Eh via! Sa come si fa? Come si dice a casa?

La figliastra (smaniosa, non potendone più)

Ma non per questo, signore! Non potrei portarlo, perché sono...come mi vede: avrebbe già potuto accorgersene!

Mostrerà l'abito nero.

Il padre

A lutto, già! È vero: vedo. Le chiedo perdono. Creda che sono veramente mortificato.

La figliastra (facendosi forza e pigliando ardire anche per vincere la nausea).

Basta, basta, signore! Tocca a me ringraziarla, e non a lei di mortificarsi o d'affliggersi. Non badi più, la prego, a quel che le ho detto. Anche per me, capirà...

Si sforzerà di sorridere e aggiungerà:

Bisogna proprio ch'io non pensi, che sono vestita così.

70

Il capocomico (interrompendo, rivolto al Suggeritore nella buca e risalendo sul palcoscenico).

Aspetti, aspetti! Non scriva, tralasci, tralasci quest'ultima battuta !

Rivolgendosi al Padre e alla figliastra:

Va benissimo! Va benissimo!

Poi al Padre soltanto:

Qua lei attaccherà com'abbiamo stabilito!

Agli Attori:

Graziosissima questa scenetta del cappellino, non vi pare?

La figliastra

Eh, ma il meglio viene adesso! perché non si prosegue?

Il capocomico.

Abbia pazienza un momento!

Tornando a rivolgersi agli Attori:

Va trattata, naturalmente, con un po' di leggerezza -

Il primo attore

- di spigliatezza, già -

La prima attrice

Ma sì, non ci vuol niente!

Al Primo Attore:

Possiamo subito provarla, no?

Il primo attore

Oh, per me... Ecco, giro per far l'entrata!

Escirà, per esser pronto a rientrare dalla porta del fondalino.

Il capocomico (alla Prima Attrice).

E allora, dunque, guardi, è finita la scena tra lei e quella Madama Pace, che penserò poi io a scrivere. Lei se ne sta...No, dove va?

La prima attrice

Aspetti, mi rimetto il cappello...

Eseguirà, andando a prendere il suo cappello dall'attaccapanni.

Il capocomico

Ah già, benissimo! Dunque, lei resta qui a capo chino.

La figliastra (divertita)

Ma se non è vestita di nero!

La prima attrice

Sarò vestita di nero, e molto più propriamente di lei!

Il capocomico (alla Figliastra)

Stia zitta, la prego! E stia a vedere! Avrà da imparare!

Battendo le mani:

Avanti! avanti! L'entrata!

E ridiscenderà dal palcoscenico per cogliere l'impressione della scena. S'aprirà l'uscio in fondo e verrà avanti il Primo Attore, con l'aria spigliata, sbarazzina d'un vecchietto galante. La rappresentazione della scena, eseguita dagli Attori, apparirà fin dalle prime battute un'altra cosa, senza che abbia tuttavia, neppur minimamente, l'aria di una parodia; apparirà piuttosto come rimessa in bello. Naturalmente, la Figliastra e il Padre, non potendo riconoscersi affatto in quella Prima Attrice e in quel Primo Attore, sentendo proferir le loro stesse parole, esprimeranno in vario modo, ora con gesti, or con sorrisi, o con aperta protesta, l'impressione che ne ricevono di sorpresa, di meraviglia, di sofferenza, ecc. , come si vedrà appresso. S'udrà dal cupolino chiaramente la voce del Suggeritore.

Il primo attore

"Buon giorno, signorina..."

Il padre (subito, non riuscendo a contenersi).

Ma no!

La Figliastra, vedendo entrare in quel modo il Primo Attore, scoppierà intanto a ridere.

Il capocomico (infuriato)

Facciano silenzio! E lei finisca una buona volta di ridere! Così non si può andare avanti!

La figliastra (venendo dal proscenio)

Ma scusi, è naturalissimo, signore! La signorina

indicherà la Prima Attrice

se ne sta lì ferma, a posto; ma se dev'esser me, io le posso assicurare che a sentirmi dire "buon giorno" a quel modo e con quel tono, sarei scoppiata a ridere, proprio così come ho riso!

Il padre (avanzandosi un poco anche lui)

Ecco, già...l'aria, il tono...

Il capocomico

Ma che aria! Che tono! Si mettano da parte, adesso, e mi lascino veder la prova!

Il primo attore (facendosi avanti)

Se debbo rappresentare un vecchio, che viene in una casa equivoca...

Il capocomico

Ma sì, non dia retta, per carità! Riprenda, riprenda, ché va benissimo!

In attesa che l'Attore riprenda:

Dunque...

Il primo attore

"Buon giorno, signorina..."

La prima attrice

"Buon giorno..."

Il primo attore (rifacendo il gesto del Padre, di spiare cioè sotto al cappellino, ma poi esprimendo ben distintamente prima la compiacenza e poi il timore)

"Ah... - ma...dico, non sarà la prima volta, spero..."

Il padre (correggendo, irresistibilmente)

Non "spero" - "è vero?", "è vero?"

Il capocomico

Dice "è vero" - interrogazione.

Il primo attore (accennando al Suggeritore)

Io ho sentito "spero!"

74

Il capocomico

Ma sì, è lo stesso! "è vero" o "spero". Prosegua, prosegua - Ecco, forse un po' meno caricato...Ecco glielo farò io, stia a vedere...

Risalirà sul palcoscenico, poi, rifacendo lui la parte fin dall'entrata:

"Buon giorno, signorina..."

La prima attrice

"Buon giorno."

Il capocomico

"Ah, ma... dico... "

rivolgendosi al Primo Attore per fargli notare il modo come avrà guardato la Prima Attrice di sotto al cappellino:

Sorpresa...timore e compiacimento...

Poi, riprendendo, rivolto alla Prima Attrice:

"Non sarà la prima volta, è vero? che lei viene qua... "

Di nuovo, volgendosi con uno sguardo d'intelligenza al Primo Attore:

Mi spiego?

Alla Prima Attrice:

E lei allora: "No, signore".

Di nuovo, al Primo Attore:

Insomma come debbo dire? "Souplesse!"

E ridiscenderà dal Palcoscenico.

La prima attrice

"No, signore..."

Il primo attore

"C'è venuta qualche altra volta? Più d'una?"

Il capocomico

Ma, no, aspetti! Lasci far prima a lei

indicherà la Prima Attrice

il cenno di sì. "C'è venuta qualche altra volta?"

La Prima Attrice solleverà un po' il capo socchiudendo penosamente; come per disgusto, gli occhi, e poi a un "Giù" del Capocomico crollerà due volte il capo.

La figliastra (irresistibilmente)

Oh Dio mio!

E subito si porrà una mano sulla bocca per impedire la risata.

Il capocomico (voltandosi)

Che cos'è?

La figliastra (subito)

Niente, niente!

Il capocomico (al Primo Attore)

A lei, a lei, seguiti!

Il primo attore

"Più d'una? E dunque, via...non dovrebbe più esser così...Permette che le levi io codesto cappellino?"

Il Primo Attore dirà quest'ultima battuta con un tal tono, e la accompagnerà con una tal mossa, che la Figliastra, rimasta con le mani sulla bocca, per quanto voglia frenarsi, non riuscirà più a contenere la risata, che le scoppierà di tra le dita irresistibilmente, fragorosa.

La prima attrice (indignata, tornandosene a posto)

Ah, io non sto mica a far la buffona qua per quella lì!

Il primo attore

E neanch'io! Finiamola!

Il capocomico (alla Figliastra, urlando)

La finisca! la finisca!

La figliastra

Sì, mi perdoni...mi perdoni...

Il capocomico

Lei è una maleducata! ecco quello che è! Una presuntuosa!

Il padre (cercando d'interporsi)

Sissignore, è vero, è vero; ma la perdoni.

Il capocomico (risalendo sul palcoscenico)

Che vuole che perdoni! È un'indecenza!

Il padre

Sissignore, ma creda, creda, che fa un effetto così strano -

Il capocomico

...strano? che strano? perché strano?

Il padre

Io ammiro, signore, ammiro i suoi attori: il Signore là,

indicherà il Primo Attore

la Signorina,

indicherà la Prima Attrice

ma, certamente...ecco, non sono noi...

Il capocomico

Eh sfido! Come vuole che sieno, "loro", se sono gli attori?

Il padre

Appunto, gli attori! E fanno bene, tutti e due, le nostre parti. Ma creda che a noi pare un'altra cosa, che vorrebbe esser la stessa, e intanto non è!

Il capocomico

Ma come non è? Che cos'è allora?

Il padre

Una cosa, che...diventa di loro; e non più nostra.

Il capocomico

Ma questo, per forza! Gliel'ho già detto!

Il padre

Sì, capisco, capisco...-

Il capocomico

- e dunque, basta!

Rivolgendosi agli Attori:

Vuol dire che faremo poi le prove tra noi, come vanno fatte. È stata sempre per me una maledizione provare davanti agli autori! Non sono mai contenti!

Rivolgendosi al Padre e alla Figliastra:

Su, riattacchiamo con loro; e vediamo se sarà possibile che lei non rida più.

La figliastra

Ah, non rido più, non rido più! Viene il bello adesso per me; stia sicuro!

Il capocomico

Dunque: quando lei dice: "Non badi la prego, a quello che ho detto...Anche per me - capirà!"

rivolgendosi al Padre:

bisogna che lei attacchi subito: "Capisco, ah capisco..." e che immediatamente domandi -

La figliastra (interrompendo)

- come! che cosa?

Il capocomico

La ragione del suo lutto!

La figliastra

Ma no, signore! Guardi: quand'io gli dissi che bisognava che non pensassi d'esser vestita così, sa come mi rispose lui? "Ah, va bene! E togliamolo, togliamolo via subito, allora, codesto vestitino!"

Il capocomico

Bello! Benissimo! Per far saltare così tutto il teatro?

La figliastra

Ma è la verità!

Il capocomico

Ma che verità, mi faccia il piacere! Qua siamo a teatro! La verità, fino a un certo punto!

La Figliastra

E che vuol fare lei allora, scusi?

Il capocomico

Lo vedrà, lo vedrà! Lasci fare a me adesso!

La figliastra

No, signore! Della mia nausea, di tutte le ragioni, una più crudele e più vile dell'altra, per cui io sono "questa", "così", vorrebbe forse cavarne un pasticcetto romantico sentimentale, con lui che mi chiede le ragioni del lutto, e io che gli rispondo lacrimando che da due mesi m'è morto papà? No, no, caro signore! Bisogna che lui mi dica come m'ha detto: "Togliamo via subito allora, codesto vestitino!". E io, con tutto il mio lutto nel cuore, di appena due mesi, me ne sono andata là, vede? là, dietro quel paravento, e con queste dita che mi ballano dall'onta, dal ribrezzo, mi sono sganciato il busto, la veste...

Il capocomico (ponendosi le mani tra i capelli)

Per carità! Che dice?

La figliastra (gridando, frenetica)

La verità! la verità, signore!

Il capocomico

Ma sì, non nego, sarà la verità...e comprendo, comprendo tutto il suo orrore, signorina; ma comprenda anche lei che tutto questo sulla scena non è possibile!

La figliastra

Non è possibile? E allora, grazie tante, io non ci sto!

Il capocomico

Ma no, veda...

La figliastra

Non ci sto! non ci sto! Quello che è possibile sulla scena ve lo siete combinato insieme tutti e due, di là, grazie! Lo capisco bene! Egli vuol subito arrivare alla rappresentazione

caricando

dei suoi travagli spirituali; ma io voglio rappresentare il mio dramma! il mio!

Il capocomico (seccato, scrollandosi fieramente)

Oh, infine, il suo! Non c'è soltanto il suo, scusi! C'è anche quello degli altri! Quello di lui,

indicherà il Padre

quello di sua madre! Non può stare che un personaggio venga, così, troppo avanti, e sopraffaccia gli altri, invadendo la scena. Bisogna contener tutti in un quadro armonico e rappresentare quel che è rappresentabile! Lo so bene anch'io che ciascuno ha tutta una sua vita dentro e che vorrebbe metterla fuori. Ma il difficile è appunto questo: farne venir fuori quel tanto che è necessario, in rapporto con gli altri; e pure in quel poco fare intendere tutta l'altra vita che resta dentro! Ah, comodo, se ogni personaggio potesse in un bel monologo, o...senz'altro...in una conferenza venire a scodellare davanti al pubblico tutto quel che gli bolle in pentola!

Con tono bonario, conciliativo:

Bisogna che lei si contenga, signorina. E creda, nel suo stesso interesse, perché può anche fare una cattiva impressione, glielo avverto, tutta codesta furia dilaniatrice, codesto disgusto esasperato, quando lei stessa, mi scusi, ha confessato di essere stata con altri, prima che con lui, da Madama Pace, più di una volta!

La figliastra (abbassando il capo, con profonda voce, dopo una pausa di raccoglimento)

È vero! Ma pensi che quegli altri sono egualmente lui, per me.

Il capocomico (non comprendendo)

Come, gli altri? Che vuol dire?

La figliastra

Per chi cade nella colpa, signore, il responsabile di tutte le colpe che seguono, non è sempre chi, primo, determinò la caduta? E per me è lui, anche da prima ch'io nascessi. Lo guardi; e veda se non è vero!

Il capocomico

Benissimo! E le par poco il peso di tanto rimorso su lui? Gli dia modo di rappresentarlo!

La Figliastra

E come, scusi? dico, come potrebbe rappresentare tutti i suoi "nobili" rimorsi, tutti i suoi tormenti "morali", se lei vuol risparmiargli l'orrore d'essersi un bel giorno trovata tra le braccia , dopo averla invitata a togliersi l'abito del suo lutto recente, donna e già caduta, quella bambina, signore, quella bambina ch'egli si recava a vedere uscire dalla scuola?

Dirà queste ultime parole con voce tremante di commozione.

La Madre, nel sentirle dire così, sopraffatta da un empito d'incontenibile ambascia, che s'esprimerà prima in alcuni gemiti soffocati, romperà alla fine in un pianto perduto. La commozione vincerà tutti.

La figliastra (appena la Madre accennerà di quietarsi, soggiungerà, cupa e risoluta).

Noi siamo qua tra noi, adesso, ignorati ancora dal pubblico. Lei darà domani di noi quello spettacolo che crederà, concertandolo a suo modo. Ma lo vuol vedere davvero, il dramma? scoppiare davvero, com'è stato?

Il capocomico

Ma sì, non chiedo di meglio, per prenderne fin d'ora quanto sarà possibile!

La figliastra

Ebbene, faccia uscire quella madre.

La madre (levandosi dal suo pianto, con un urlo)

No, no! Non lo permetta, signore! Non lo permetta!

Il capocomico

Ma è solo per vedere, signora!

La madre

Io non posso! non posso!

Il capocomico

Ma se è già tutto avvenuto, scusi! Non capisco!

La madre

No, avviene ora, avviene sempre! Il mio strazio non è finito, signore! Io sono viva e presente, sempre, in ogni momento del mio strazio, che si rinnova, vivo e presente sempre. Ma quei due piccini là, li ha lei sentiti parlare? Non possono più parlare, signore! Se ne stanno aggrappati a me, ancora, per tenermi vivo e presente lo strazio: ma essi, per sè, non sono, non sono più! E questa,

indicherà la Figliastra

signore, se n'è fuggita, è scappata via da me e s'è perduta, perduta... Se ora io me la vedo qua è ancora per questo, solo per questo, sempre, sempre, per rinnovarmi sempre, presente, lo strazio che vivo e ho sofferto anche per lei!

Il padre (solenne)

Il momento eterno, com'io le ho detto, signore! Lei

indicherà la Figliastra

è qui per cogliermi, fissarmi, tenermi agganciato e sospeso in eterno, alla gogna, in quel solo momento fuggevole e vergognoso della mia vita. Non può rinunziarvi, e lei, signore, non può veramente risparmiarmelo.

Il capocomico

Ma sì, io non dico di non rappresentarlo: formerà appunto il nucleo di tutto il primo atto, fino ad arrivare alla sorpresa di lei -

indicherà la Madre.

Il padre

Ecco, sì. Perché è la mia condanna, tutta signore!: tutta la nostra passione, che deve culminare nel grido finale di lei! -

Indicherà anche lui la Madre.

La figliastra

L'ho ancora qui negli orecchi! M'ha reso folle quel grido! - Lei può rappresentarmi come vuole signore: non importa! Anche vestita, purché abbia almeno le braccia - solo le braccia - nude, perché, guardi, stando così,

si accosterà al Padre e gli appoggerà la testa sul petto

con la testa appoggiata così, e le braccia così al suo collo, mi vedevo pulsare qui, nel braccio qui, una vena; e allora, come se soltanto quella vena viva mi facesse ribrezzo, strizzai gli occhi, così, così, ed affondai la testa nel suo petto!

Voltandosi verso la Madre:

Grida, grida, mamma!

Affonderà la testa nel petto del Padre, e con le spalle alzate come per non sentire il grido, soggiungerà con voce di strazio soffocato:

Grida, come hai gridato allora!

La madre (avventandosi per separarli)

No! Figlia, figlia mia!

E dopo averla staccata da lui:

Bruto, bruto, è mia figlia! Non vedi che è mia figlia?

Il capocomico (arretrando, al grido; fino alla ribalta, fra lo sgomento degli Attori)

Benissimo; sì, benissimo! E allora, sipario, sipario!

Il Padre (accorrendo a lui, convulso)

Ecco, sì: perché è stato veramente così, signore!

Il capocomico (ammirato e convinto)

Ma sì, qua, senz'altro! Sipario! Sipario!

Alle grida reiterate del Capocomico, il Macchinista butterà giù il sipario, lasciando fuori, davanti alla ribalta, il Capocomico e il Padre.

Il capocomico (guardando in alto, con le braccia alzate).

Ma che bestia! Dico sipario per intendere che l'Atto deve finir così, e m'abbassano il sipario davvero!

Al Padre, sollevando un lembo della tenda per rientrare nel palcoscenico:

Sì, sì, benissimo! benissimo! Effetto sicuro! Bisogna finir così. Garantisco, garantisco, per questo Primo Atto!

Rientrerà col Padre.

* * *

Riaprendosi il sipario si vedrà che i Macchinisti e Apparatori avranno disfatto quel primo simulacro di scena e messo su, invece, una piccola vasca da giardino. Da una parte del palcoscenico staranno seduti in fila gli Attori e dall'altra i Personaggi. Il Capocomico sarà in piedi, in mezzo al palcoscenico, con una mano sulla bocca a pugno chiuso in atto di meditare.

Il capocomico (scrollandosi dopo una breve pausa)

Oh, dunque: veniamo al Secondo Atto! Lascino, lascino fare a me, come avevamo prima stabilito, che andrà benone!

La Figliastra

La nostra entrata in casa di lui

indicherà il Padre

a dispetto di quello lì!

indicherà il Figlio

Il capocomico (spazientito)

Sta bene; ma lasci fare a me, le dico!

La figliastra

Purché appaja chiaro il dispetto!

La madre (dal suo canto tentennando il capo)

Per tutto il bene che ce n'è venuto...

La figliastra (voltandosi a lei di scatto)

Non importa! Quanto più danno a noi, tanto più rimorso per lui!

Il capocomico (spazientito)

Ho capito, ho capito! E si terrà conto di questo in principio sopratutto! Non dubiti!

La madre (supplichevole)

Ma faccia che si capisca bene, la prego, signore, per la mia coscienza ch'io cercai in tutti i modi -

La figliastra (interrompendo con sdegno, e seguitando)

- di placarmi, di consigliarmi che questo dispetto non gli fosse fatto!

Al Capocomico:

La contenti, la contenti, perché è vero! Io ne godo moltissimo; perché, intanto, si può vedere: più lei è così supplice, più tenta d'entrargli nel cuore, e più quello lì si tien lontano: "as-sen-te"! Che gusto!

Il capocomico

Vogliamo insomma cominciarlo, questo Secondo Atto?

La figliastra

Non parlo più. Ma badi che svolgerlo tutto nel giardino, come lei vorrebbe, non sarà possibile!

Il capocomico

Perché non sarà possibile?

La figliastra

Perché lui

indicherà di nuovo il Figlio

se ne sta sempre chiuso in camera, appartato! E poi, in casa, c'è da svolgere tutta la parte di quel povero ragazzo lì, smarrito, come le ho detto.

Il capocomico

Eh già! Ma d'altra parte, capiranno, non possiamo mica appendere i cartellini o cambiar di scena a vista, tre o quattro volte per Atto!

Il primo attore

Si faceva un tempo...

Il capocomico

Sì, quando il pubblico era forse come quella bambina lì!

La prima attrice

E l'illusione, più facile!

Il padre (con uno scatto, alzandosi)

L'illusione? Per carità, non dicano l'illusione! Non adoperino codesta parola, che per noi è particolarmente crudele!

Il capocomico (stordito)

E perché, scusi?

Il padre

Ma sì, crudele! crudele! Dovrebbe capirlo!

Il capocomico

E come dovremmo dire allora? L'illusione da creare, qua, agli spettatori -

Il primo attore

- con la nostra rappresentazione -

Il capocomico

- l'illusione d'una realtà!

Il padre

Comprendo, signore. Forse lei, invece, non può comprendere noi. Mi scusi! Perché - veda - qua per lei e per i suoi attori si tratta soltanto - ed è giusto - del loro giuoco.

La prima attrice (interrompendo sdegnata)

Ma che giuoco! Non siamo mica bambini! Qua si recita sul serio.

Il padre

Non dico di no. E intendo, infatti, il giuoco della loro arte, che deve dare appunto - come dice il signore - una perfetta illusione di realtà.

Il capocomico

Ecco, appunto!

Il padre

Ora, se lei pensa che noi come noi

indicherà sè e sommariamente gli altri cinque Personaggi

non abbiamo altra realtà fuori di questa illusione!

Il capocomico (stordito, guardando i suoi Attori rimasti anch'essi come sospesi e smarriti)

E come sarebbe a dire?

Il padre (dopo averli un po' osservati, con un pallido sorriso)

Ma sì, signori! Quale altra? Quella che per loro è un'illusione da creare, per noi è invece l'unica nostra realtà.

Breve pausa. Si avanzerà di qualche passo verso il Capocomico, e soggiungerà:

Ma non soltanto per noi, del resto, badi! Ci pensi bene.

Lo guarderà negli occhi.

Mi sa dire chi è lei?

E rimarrà con l'indice appuntato su lui.

Il capocomico (turbato, con un mezzo sorriso)

Come, chi sono? - Sono io!

Il padre

E se le dicessi che non è vero, perché lei è me?

Il capocomico

Le risponderei che lei è un pazzo!

Gli Attori rideranno.

Il padre

Hanno ragione di ridere: perché qua si giuoca;

al Direttore:

e lei può dunque obbiettarmi che soltanto per un giuoco quel signore là

indicherà il Primo Attore

che è "lui", dev'esser "me", che viceversa sono io, "questo". Vede che l'ho colto in trappola?

Gli attori torneranno a ridere.

Il capocomico (seccato)

Ma questo s'è già detto poco fa! Daccapo?

Il padre

No, no. Non volevo dir questo, infatti. Io la invito anzi a uscire da questo giuoco

guardando la Prima Attrice, come per prevenire

d'arte! d'arte! - che lei è solito di fare qua coi suoi attori; e torno a domandarle seriamente: chi è lei?

Il capocomico (rivolgendosi quasi strabiliato, e insieme irritato, agli Attori)

Oh, ma guardate che ci vuole una bella faccia tosta! Uno che si spaccia per personaggio, venire a domandare a me, chi sono!

Il padre (con dignità, ma senza alterigia)

Un personaggio, signore, può sempre domandare a un uomo chi è. Perché un personaggio ha veramente una vita sua, segnata di caratteri suoi, per cui è sempre "qualcuno". Mentre un uomo - non dico lei, adesso - un uomo così in genere, può non esser "nessuno".

Il capocomico

Già! Ma lei lo domanda a me, che sono il Direttore! il Capocomico! Ha capito?

Il padre (quasi in sordina, con melliflua umiltà)

Soltanto per sapere, signore, se veramente lei com'è adesso, si vede... come vede per esempio, a distanza di tempo, quel che lei era una volta, con tutte le illusioni che allora si faceva; con tutte le cose, dentro e intorno a lei, come allora le parevano - ed erano, erano realmente per lei! - Ebbene, signore: ripensando a quelle illusioni che adesso lei non si fa più, a tutte quelle cose che ora non le "sembrano" più come per lei "erano" un tempo; non si sente mancare, non dico queste tavole di palcoscenico, ma il terreno, il terreno sotto i piedi, argomentando che ugualmente "questo" come lei ora si sente, tutta la sua realtà d'oggi così com'è, è destinata a parerle illusione domani?

Il capocomico (senza aver ben capito, nell'intontimento della speciosa argomentazione)

Ebbene? E che vuol concludere con questo?

Il padre

Oh, niente, signore. Farle vedere che se noi (indicherà di nuovo sè e gli altri Personaggi) oltre la illusione, non abbiamo altra realtà, è bene che anche lei diffidi della realtà sua, di questa che lei oggi respira e tocca in sè, perché - come quella di jeri - è destinata a scoprirlesi illusione domani.

Il capocomico (rivolgendosi a prenderla in riso)

Ah, benissimo! E dica per giunta che lei, con codesta commedia che viene a rappresentarmi qua, è più vero e reale di me!

Il padre (con la massima serietà)

Ma questo senza dubbio, signore!

Il capocomico

Ah sì?

Il padre

Credevo che lei lo avesse già compreso fin da principio.

Il capocomico

Più reale di me?

Il padre

Se la sua realtà può cangiare dall'oggi al domani...

Il capocomico

Ma si sa che può cangiare, sfido! Cangia continuamente, come quella di tutti!

Il padre (con un grido)

Ma la nostra no, signore! Vede? La differenza è questa! Non cangia, non può cangiare, né esser altra, mai, perché già fissata - così - "questa" - per sempre - (è terribile, signore!) realtà immutabile, che dovrebbe dar loro un brivido nell'accostarsi a noi!

Il capocomico (con uno scatto, parandoglisi davanti per un'idea che gli sorgerà all'improvviso).

Io vorrei sapere però, quando mai s'è visto un personaggio che, uscendo dalla sua parte, si sia messo a perorarla così come fa lei, e a proporla, a spiegarla. Me lo sa dire? Io non l'ho mai visto!

Il padre

Non l'ha mai visto, signore, perché gli autori nascondono di solito il travaglio della loro creazione. Quando i personaggi son vivi, vivi veramente davanti al loro autore, questo non fa altro che seguirli nelle parole, nei gesti ch'essi appunto gli propongono, e bisogna ch'egli li voglia com'essi si vogliono; e guai se non fa così! Quando un personaggio è nato, acquista subito una tale indipendenza anche dal suo stesso autore, che può esser da tutti immaginato in tant'altre situazioni in cui l'autore non pensò di metterlo, e acquistare anche, a volte, un significato che l'autore non si sognò mai di dargli!

Il capocomico

Ma sì, questo lo so!

Il padre

E dunque, perché si fa meraviglia di noi? Immagini per un personaggio la disgrazia che le ho detto, d'esser nato vivo dalla fantasia d'un autore che abbia voluto poi negargli la vita, e mi dica se questo personaggio lasciato così, vivo e senza vita, non ha ragione di mettersi a fare quel che stiamo facendo noi, ora, qua davanti a loro, dopo averlo fatto a lungo a lungo, creda, davanti a lui per persuaderlo, per spingerlo, comparendogli ora io, ora lei,

indicherà la Figliastra

ora quella povera madre...

La figliastra (venendo avanti come trasognata)

È vero, anch'io, anch'io signore, per tentarlo, tante volte, nella malinconia di quel suo scrittojo, all'ora del crepuscolo, quand'egli, abbandonato su una poltrona, non sapeva risolversi a girar la chiavetta della luce e lasciava che l'ombra gl'invadesse la stanza e che quell'ombra brulicasse di noi, che andavamo a tentarlo...

Come se si vedesse ancora là in quello scrittojo e avesse fastidio della presenza di tutti quegli Attori:

Se loro tutti se n'andassero! se ci lasciassero soli! La mamma lì, con quel figlio - io con quella bambina - quel ragazzo là sempre solo - e poi io con lui

indicherà appena il Padre

- e poi io sola, io sola...- in quell'ombra

balzerà a un tratto, come se nella visione che ha di sè, lucente in quell'ombra e viva, volesse afferrarsi

ah, la mia vita! Che scene, che scene andavamo a proporgli! - Io, io lo tentavo più di tutti!

Il padre

Già! Ma forse è stato per causa tua; appunto per codeste tue troppe insistenze, per le tue troppe incontinenze!

La figliastra

Ma che! Se egli stesso m'ha voluta così!

Verrà presso al Capocomico per dirgli come in confidenza:

Io credo che fu piuttosto, signore, per avvilimento o per sdegno del teatro, così come il pubblico solitamente lo vede e lo vuole...

Il capocomico

Andiamo avanti, andiamo avanti, santo Dio, e veniamo al fatto, signori miei!.

La figliastra

Eh, ma mi pare, scusi, che di fatti ne abbia fin troppi, con la nostra entrata in casa di lui!

Indicherà il Padre

Diceva che non poteva appendere i cartellini o cangiar di scena ogni cinque minuti!

Il capocomico

Già! Ma appunto!

Combinarli, aggrupparli in un'azione simultanea e serrata, e non come pretende lei, che vuol vedere prima il suo fratellino che ritorna dalla scuola e s'aggira come un'ombra per le stanze, nascondendosi dietro gli usci a meditare un proposito, in cui - com'ha detto? -

La figliastra

- Si dissuga, signore, si dissuga tutto!

Il capocomico

Non ho mai sentito codesta parola! E va bene: "crescendo soltanto negli occhi", è vero?

La figliastra

Sissignore: eccolo lì!

Lo indicherà presso la Madre.

Il capocomico

Brava! E poi, contemporaneamente, vorrebbe anche quella bambina che giuoca, ignara, nel giardino. L'uno in casa, e l'altra nel giardino, è possibile?

La figliastra

Ah, nel sole, signore, felice! È l'unico mio premio, la sua allegria, la sua festa, in quel giardino; tratta dalla miseria, dallo squallore di un'orribile camera dove dormivamo tutti e quattro - e io con lei - io, pensi! con l'orrore del mio corpo contaminato, accanto a lei che mi stringeva forte forte coi suoi braccini amorosi e innocenti. Nel giardino, appena mi vedeva, correva a prendermi per mano. I fiori grandi non li vedeva; andava a scoprire invece tutti quei "pittoli pittoli" e me li voleva mostrare, facendo una festa, una festa!

Così dicendo, straziata dal ricordo, romperà in un pianto lungo, disperato, abbattendo il capo sulle braccia abbandonate sul tavolino. La commozione vincerà tutti. Il Capocomico le si accosterà quasi paternamente, e le dirà per confortarla:

Il capocomico

Faremo il giardino, faremo il giardino, non dubiti: e vedrà che ne sarà contenta! Le scene le aggrupperemo lì!

Chiamando per nome un Apparatore:

Ehi, calami qualche spezzato d'alberi! Due cipressetti qua davanti a questa vasca!

Si vedranno calare dall'alto del palcoscenico due cipressetti. Il Macchinista, accorrendo, fermerà coi chiodi i due pedani.

Il capocomico (alla Figliastra)

Così alla meglio, adesso, per dare un'idea.

Richiamerà per nome l'Apparatore.

Ehi, dammi ora un po' di cielo!

L'apparatore (dall'alto)

Che cosa?

Il capocomico

Un po' di cielo! Un fondalino, che cada qua dietro questa vasca!

Si vedrà calare dall'alto del palcoscenico una tela bianca.

Il capocomico

Ma non bianco! T'ho detto cielo! Non fa nulla, lascia: rimedierò io.

Chiamando:

Ehi, elettricista, spegni tutto e dammi un po' di atmosfera... atmosfera lunare...blu, blu alle bilance, e blu sulla tela, col riflettore... Così! Basta!

Si sarà fatta, a comando, una misteriosa scena lunare, che indurrà gli Attori a parlare e muoversi come di sera, in un giardino, sotto la luna.

Il capocomico (alla Figliastra)

Ecco, guardi! E ora il giovinetto, invece di nascondersi dietro gli usci delle stanze, potrebbe aggirarsi qua nel giardino, nascondendosi dietro gli alberi. Ma capirà che sarà difficile trovare una bambina che faccia bene la scena con lei, quando le mostra i fiorellini.

Rivolgendosi al Giovinetto:

Venga, venga avanti lei, piuttosto! Vediamo di concretare un po'!

E poiché il ragazzo non si muove:

Avanti, avanti!

Poi, tirandolo avanti, cercando di fargli tener ritto il capo che ogni volta ricasca giù:

Ah, dico, un bel guajo, anche questo ragazzo...Ma com'è? ...Dio mio, bisognerebbe pure che qualche cosa dicesse...

Gli s'appresserà, gli poserà una mano sulla spalla, lo condurrà dietro allo spezzato d'alberi.

Venga, venga un po': mi faccia vedere! Si nasconda un po' qua...Così... Si provi a sporgere un po' il capo, a spiare...

Si scosterà per vedere l'effetto: e appena il Giovinetto eseguirà l'azione tra lo sgomento degli Attori che resteranno impressionatissimi:

Ah, benissimo...benissimo...

Rivolgendosi alla Figliastra:

E dico, se la bambina, sorprendendolo così a spiare, accorresse a lui e gli cavasse di bocca almeno qualche parola?

La figliastra (sorgendo in piedi)

Non speri che parli, finché c'è quello lì!

Indicherà il Figlio.

Bisognerebbe che lei mandasse via, prima, quello lì.

Il figlio (avviandosi risoluto verso una delle due scalette)

Ma prontissimo! Felicissimo! Non chiedo di meglio!

Il capocomico (subito trattenendolo)

No! Dove va? Aspetti!

La Madre si alzerà sgomenta, angosciata dal pensiero che egli se ne vada davvero, e istintivamente leverà le braccia quasi per trattenerlo, pur senza muoversi dal suo posto.

Il figlio (arrivando alla ribalta, al Capocomico che lo tratterrà)

Non ho proprio nulla, io, da far qui! Me ne lasci andare, la prego! Me ne lasci andare!

Il capocomico

Come non ha nulla da fare?

La figliastra (placidamente, con ironia)

Ma non lo trattenga! Non se ne va!

Il padre

Deve rappresentare la terribile scena del giardino con sua madre!

Il figlio (subito, risoluto, fieramente)

Io non rappresento nulla! E l'ho dichiarato fin da principio!

Al Capocomico:

Me ne lasci andare!

La figliastra (accorrendo, al Capocomico)

Permette, signore?

Gli farà abbassare le braccia, con cui trattiene il Figlio.

Lo lasci!

Poi, rivolgendosi a lui, appena il Capocomico lo avrà lasciato:

Ebbene, vattene!

Il Figlio resterà proteso verso la scaletta, ma, come legato da un potere occulto, non potrà scenderne gli scalini; poi, tra lo stupore e lo sgomento ansioso degli Attori, si moverà lentamente lungo la ribalta, diretto all'altra scaletta del palcoscenico; ma giuntovi, resterà anche lì proteso, senza poter discendere. La Figliastra, che lo avrà seguito con gli occhi in atteggiamento di sfida, scoppierà a ridere.

- Non può, vede? non può! Deve restar qui, per forza, legato alla catena, indissolubilmente. Ma se io che prendo il volo, signore, quando accade ciò che deve accadere - proprio per l'odio che sento per lui, proprio per non vedermelo più davanti - ebbene, se io sono ancora qua, e sopporto la sua vista e la sua compagnia - si figuri se può andarsene via lui che deve, deve restar qua veramente con questo suo bel padre, e quella madre là, senza più altri figli che lui...

Rivolgendosi alla Madre:

- E su, su, mamma! Vieni...

Rivolgendosi al Capocomico per indicargliela:

- Guardi, s'era alzata, s'era alzata per trattenerlo...

Alla Madre, quasi attirandola per virtù magica:

- Vieni, Vieni...

Poi al Capocomico:

- Immagini che cuore può aver lei di mostrare qua ai suoi attori quello che prova; ma è tanta la brama d'accostarsi a lui, che - eccola - vede? è disposta a vivere la sua scena!

Difatti la Madre si sarà accostata, e appena la Figliastra finirà di proferire le ultime parole, aprirà le braccia per significare che acconsente.

Il figlio (subito)

Ah, ma io no! Io no! Se non me ne posso andare, resterò qua; ma le ripeto che io non rappresento nulla!

Il padre (al Capocomico, fremendo)

Lei lo può costringere, signore!

Il figlio

Non può costringermi nessuno!

Il padre

Ti costringerò io!

La figliastra

Aspettate! Aspettate! Prima, la bambina alla vasca!

Correrà a prendere la Bambina, si piegherà sulle gambe davanti a lei, le prenderà la faccina tra le mani.

Povero amorino mio, tu guardi smarrita, con codesti occhioni belli: chi sa dove ti par d'essere! Siamo su un palcoscenico, cara! Che cos'è un palcoscenico? Ma, vedi? un luogo dove si giuoca a far sul serio. Ci si fa la commedia. E noi faremo ora la commedia. Sul serio, sai! Anche tu...

L'abbraccerà, stringendosela sul seno e dondolandosi un po'.

Oh amorino mio, amorino mio, che brutta commedia farai tu! che cosa orribile è stata pensata per te! Il giardino, la vasca...Eh, finta, si sa! Il guajo è questo, carina: che è tutto finto, qua! Ah, ma già forse a te bambina, piace più una vasca finta che una vera; per poterci giocare, eh? Ma no, sarà per gli altri un gioco; non per te, purtroppo, che sei vera, amorino, e che giochi per davvero in una vasca vera, bella, grande, verde, con tanti bambù che vi fanno l'ombra, specchiandovisi, e tante tante anatrelle che vi nuotano sopra, rompendo quest'ombra. Tu la vuoi acchiappare, una di queste anatrelle..

Con un urlo che riempie tutti di sgomento:

no, Rosetta mia, no! La mamma non bada a te, per quella canaglia di figlio là! Io sono con tutti i miei diavoli in testa...E quello lì...

Lascerà la Bambina e si rivolgerà col solito piglio al Giovinetto:

Che stai a far qui, sempre con codest'aria di mendico? Sarà anche per causa tua, se quella piccina affoga: per codesto tuo star così, come se io facendovi entrare in casa non avessi pagato per tutti!

Afferrandogli un braccio per forzarlo a cacciar fuori dalla tasca una mano:

Che hai lì? Che nascondi? Fuori, fuori questa mano!

Gli strapperà la mano dalla tasca e, tra l'orrore di tutti, scoprirà ch'essa impugna una rivoltella. Lo mirerà un po' come soddisfatta: poi dirà, cupa:

Ah! Dove, come te la sei procurata?

E poiché il Giovinetto, sbigottito, sempre con gli occhi sbarrati e vani, non risponderà:

Sciocco, in te, invece d'ammazzarmi, io, avrei ammazzato uno di quei due; o tutti e due: il padre e il figlio!

Lo ricaccerà dietro al cipressetto da cui stava a spiare; poi prenderà la Bambina e la calerà dentro la vasca, mettendovela a giacere in modo che resti nascosta; infine, si accascerà lì, col volto tra le braccia appoggiate all'orlo della vasca.

Il capocomico

Benissimo!

Rivolgendosi al Figlio:

E contemporaneamente...

Il figlio (con sdegno)

Ma che contemporaneamente! Non è vero, signore! Non c'è stata nessuna scena fra me e lei!

Indicherà la Madre.

Se lo faccia dire da lei stessa, come è stato.

Intanto la Seconda Donna e l'Attor Giovane si saranno staccati dal gruppo degli Attori e l'una si sarà messa a osservare con molta attenzione la Madre che le starà di fronte, e l'altro il Figlio, per poterne poi rifare le parti.

La madre

Sì, è vero, signore! Io ero entrata nella sua camera.

Il figlio

Nella mia camera, ha inteso? Non nel giardino!

Il capocomico

Ma questo non ha importanza! Bisogna raggruppar l'azione, ho detto!

Il figlio (scorrendo l'Attor Giovane che l'osserva)

Che cosa vuol lei?

L'attor giovane

Niente; la osservo.

Il figlio (voltandosi dall'altra parte, alla Seconda Donna)

Ah - e qua c'è lei? Per rifar la sua parte?

Indicherà la Madre.

Il capocomico

Per l'appunto! Per l'appunto! E dovrebbe esser grato, mi sembra, di questa loro attenzione!

Il figlio

Ah, si! Grazie! Ma non ha ancora compreso che questa commedia lei non la può fare! Noi non siamo mica dentro di lei, e i suoi attori stanno a guardarci da fuori. Le par possibile che si viva davanti a uno specchio che, per di più, non contento d'agghiacciarci con l'immagine della nostra stessa espressione, ce la ridà come una smorfia irriconoscibile di noi stessi?

Il padre

Questo è vero! Questo è vero! Se ne persuada!

Il capocomico (all'Attor Giovane e alla Seconda Donna)

Va bene, si levino davanti!

Il figlio

È inutile! Io non mi presto.

Il capocomico

Si stia zitto, adesso, e mi lasci sentir sua madre!

Alla Madre:

Ebbene? Era entrata?

La madre

Sissignore, nella sua camera, non potendone più. Per votarmi il cuore di tutta l'angoscia che m'opprime. Ma appena lui mi vide entrare -

Il figlio

nessuna scena! Me ne andai; me n'andai per non fare una scena. Perché non ho mai fatto scene, io; ha capito?

La madre

È vero! È così. È così!

Il capocomico

Ma ora bisogna pur farla questa scena tra lei e lui! È indispensabile!

La madre

Per me, signore, io sono qua! Magari mi desse lei il modo di potergli parlare un momento, di potergli dire tutto quello che mi sta nel cuore.

Il padre (appressandosi al Figlio, violentissimo)

Tu la farai! per tua madre! per tua madre!

Il figlio (più che risoluto)

Non faccio nulla!

Il Padre (afferrandolo per il petto, e scrollandolo)

Per Dio, obbedisci! Obbedisci! Non senti come ti parla! Non hai viscere di figlio?

Il figlio (afferrandolo anche lui)

No! No! e finiscila una buona volta!

Costernazione generale. La Madre, spaventata, cercherà di interporsi, di separarli.

La madre (c.s.)

Per carità! Per carità!

Il padre (senza lasciarlo)

Devi obbedire! Devi obbedire!

Il figlio (colluttando con lui e alla fine buttandolo a terra presso la scaletta, tra l'orrore di tutti)

Ma che cos'è codesta frenesia che t'ha preso? Non ha ritegno di portare davanti a tutti la sua vergogna e la nostra! Io non mi presto! non mi presto! E interpreto così la volontà di chi non volle portarci sulla scena!

Il capocomico

Ma se ci siete venuti!

Il figlio (additando il Padre)

Lui, non io!

Il capocomico

E non è qua anche lei?

Il figlio

C'è voluto venir lui, trascinandoci tutti e prestandosi anche a combinare di là insieme con lei non solo quello che è realmente avvenuto; ma come se non bastasse, anche quello che non c'è stato!

Il capocomico

Ma dica, dica lei almeno che cosa c'è stato! Lo dica a me! Se n'è uscito dalla sua camera, senza dir nulla?

Il figlio (dopo un momento d'esitazione)

Nulla. Proprio, per non fare una scena!

Il capocomico (incitandolo)

Ebbene, e poi? che ha fatto?

Il figlio (tra l'angosciosa attenzione di tutti, muovendo alcuni passi sul palcoscenico)

Nulla...Attraversando il giardino...

S'interromperà, fosco, assorto.

Il capocomico (spingendolo sempre più a dire, impressionato dal ritegno di lui)

Ebbene? attraversando il giardino?

Il figlio (esasperato, nascondendo il volto con un braccio)

Ma perché mi vuol far dire, signore? È orribile!

La Madre tremerà tutta, con gemiti soffocati, guardando verso la vasca.

Il capocomico (piano, notando quello sguardo, si rivolgerà al Figlio con crescente apprensione)

La bambina?

Il figlio (guardando davanti a sè, nella sala)

Là, nella vasca...

Il padre (a terra, indicando pietosamente la Madre)

E lei lo seguiva, signore!

Il capocomico (al Figlio, con ansia)

E allora, lei?

Il figlio (lentamente, sempre guardando davanti a sè).

Accorsi; mi precipitai per ripescarla...Ma a un tratto m'arrestai, perché dietro quegli alberi vidi una cosa che mi gelò: il ragazzo, il ragazzo che se ne stava lì fermo, con occhi da pazzo, a guardare nella vasca la sorellina affogata.

La Figliastra, rimasta curva presso la vasca a nascondere la Bambina, risponderà come un'eco dal fondo, singhiozzando perdutamente.

Pausa.

Feci per accostarmi; e allora...

Rintronerà dietro gli alberi, dove il Giovinetto è rimasto nascosto, un colpo di rivoltella.

La Madre (con un grido straziante, accorrendo col Figlio e con tutti gli Attori in mezzo al subbuglio generale)

Figlio! Figlio mio!

E poi, fra la confusione e le grida sconnesse degli altri:

Ajuto! Ajuto!

Il capocomico (tra le grida, cercando di farsi largo, mentre il Giovinetto sarà sollevato da capo e da piedi e trasportato via, dietro la tenda bianca)

S'è ferito? s'è ferito davvero?

Tutti, tranne il Capocomico e il Padre, rimasto per terra presso la scaletta, saranno scomparsi dietro il fondalino abbassato, che fa da cielo, e vi resteranno un po' parlottando angosciosamente, poi, da una parte e dall'altra di esso, rientreranno in iscena gli Attori.

La prima attrice (rientrando da destra, addolorata)

È morto! Povero ragazzo! È morto! Oh che cosa!

Il primo attore (rientrando da sinistra, ridendo)

Ma che morto! Finzione! finzione! Non ci creda!

Altri attori da destra

Finzione? Realtà! realtà! È morto!

Altri attori da sinistra

No! Finzione! Finzione!

Il padre (levandosi e gridando tra loro)

Ma che finzione! Realtà, realtà, signori! realtà!

E scomparirà anche lui, disperatamente, dietro il fondalino.

Il capocomico (non potendone più)

Finzione! realtà! Andate al diavolo tutti quanti! Luce! Luce! Luce!

D'un tratto, tutto il palcoscenico e tutta la sala del teatro sfolgoreranno di vivissima luce. Il capocomico rifiaterà come liberato da un incubo, e tutti si guarderanno negli occhi, sospesi e smarriti.

Ah! Non m'era mai capitata una cosa simile! Mi hanno fatto perdere una giornata!

Guarderà l'orologio.

Andate, andate! Che volete più fare adesso? Troppo tardi per ripigliare la prova. A questa sera!

E appena gli Attori se ne saranno andati, salutandolo:

Ehi, elettricista, spegni tutto!

Non avrà finito di dirlo, che il teatro piomberà per un attimo nella più fitta oscurità.

Eh, perdio! Lasciami almeno accesa una lampadina, per vedere dove metto i piedi!

Subito, dietro il fondalino, come per uno sbaglio d'attacco, s'accenderà un riflettore verde, che proietterà, grandi e spiccate, le ombre dei Personaggi, meno il Giovinetto e la Bambina. Il Capocomico, vedendole, schizzerà via dal palcoscenico, atterrito. Contemporaneamente si spegnerà il riflettore dietro il fondalino, e si rifarà sul palcoscenico il notturno azzurro di prima. Lentamente, dal lato destro della tela verrà prima avanti il Figlio, seguito dalla Madre con le braccia protese verso di lui; poi dal lato sinistro il Padre.

Si fermeranno a metà del palcoscenico, rimanendo lì come forme trasognate. Verrà fuori, ultima, da sinistra, la Figliastra che correrà verso una delle scalette; sul primo scalino si fermerà un momento a guardare gli altri tre e scoppierà in una stridula risata, precipitandosi poi giù per la scaletta; correrà attraverso il corridojo tra le poltrone; si fermerà ancora una volta e di nuovo riderà, guardando i tre rimasti lassù; scomparirà dalla sala, e ancora, dal ridotto, se ne udrà la risata. Poco dopo calerà la tela.

FINE

Milton Keynes UK
Ingram Content Group UK Ltd.
UKHW050718181023
430840UK00009B/306